1989-1994　二十世紀之卷

文學回憶錄

木心 講述　　陳丹青 筆錄

木心，攝於一九九四年文學課結束後的「結業」聚會。

這條小小的窗櫺，是木心故家唯一的遺物。七、八十年前，一個烏鎮的男孩在家裡開始閱讀文學、想像世界。
一九九五年秋，我（陳丹青）私訪烏鎮東柵財神灣孫家莊花園，在廢棄的舊居窗格掰下這段朽木，帶回紐約，交給木心。此後，直到他逝世，這段窗櫺就放在他的書桌上。

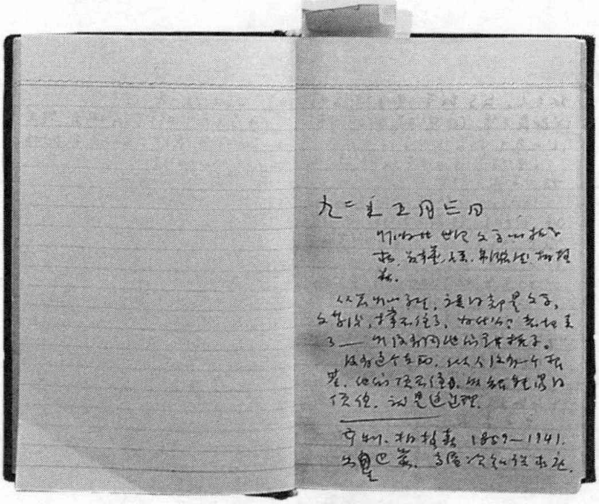

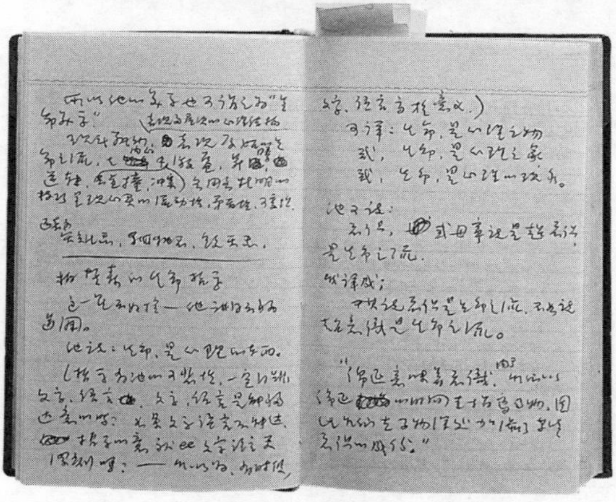

第60講筆記：「從前我的學生，談的都是文學。『文革』後，撐不住了。為什麼？」「各用各的精明技巧呈現心靈的流動性、矛盾性、可變性。」

目錄

第58講

二十世紀初期世界文學

康拉德　蕭伯納　《加萊的義名》　曾樸　王國維　胡適

1992.4.5

羅曼・羅蘭，他無疑是個熱心正派的紳士，我少時受他的影響，如果今天還受他影響，我一事無成。一，羅蘭將藝術、藝術家極度概念化；二，他的道德力量是極度迂腐的。

宜淺讀的書如果深讀，那就已給它陷住了，控制了。尼采的書宜深讀，你淺讀，驕傲、自大狂，深讀，讀出一個自己來。羅蘭的書宜淺讀，你若深讀，即迷失在偉大的空想中。

《道德經》若淺讀，就會講謀略，老奸巨猾，深讀，會煉成思想上的內家功夫。

《離騷》若深讀，就愛國、殉情、殉國，淺讀，則唯美，好得很。

本來計畫講到十九世紀，大家挽留，講下去。

講了三年了，把前面的古代、中古、近代講下來，現在要講到我們活著的世紀了。我總感慨，十九世紀的文學是個盛世，到十九世紀末，有世紀末之感。大家沒有感受到這個。現在看，這是人類的自作多情。「世紀末」，是無法劃清的。文學是千絲萬縷的人文關係，不是世紀的轉換斬得斷的。

決定二十世紀特徵的，是一九一四年的歐戰和一九一七年的俄國革命。這是近代人性破裂的兩大基因。歐戰是歐洲自瀆性的，自己難為自己。革命是一種被蹂躪的殘害，對人性而言。這個觀點說來話長，現在不講，以後要寫專文，論現代人性怎麼被破壞的。

前幾年講古代、中世紀、近代，是分國家、挨秩序、經地域介紹過來的，以增聽者常識——通俗地說，凡事當前，要有感覺、有觀點；斯文地說，發揮藝術家的神、智、器、識。

據平時課餘閒談，知道大家和以往不同了。課未完，常識已多了不少，神閒不少，氣定不少。

要改一改講法：按題目，分流派講。沒有前面這些常識，不能這樣講。不按題分派講，常識再多也沒用，那麼中途來聽又不來聽的人，是人一走，我這兒茶還未涼。

英國文學

二十世紀文學巡禮，先講英國。

除哈代、吉卜齡，就要講康拉德（Joseph Conrad，一八五七—一九二四）。康拉德極富原創性，作品整練有力。他是波蘭人，父母早死，舅撫養大，所幸有好家庭教師，十七歲從馬賽登船，從此二十年在海上生活。一八八六年入英國籍。航海經歷豐富。三十八歲開始發表第一部小說，小說名《奧麥耶的癡夢》（*Almayer's Folly*）。一八九七年出小說《納希修斯的黑奴》（*The Nigger of the 'Narcissus'*），序文中說出他對現代小說的見解。

康拉德，二十年在海上生活，航海經驗豐富。寫海，感覺整個海浮現在面前。

初重形式句法，後期疏宕起來（放鬆了）。不含教訓，不主張革命，純以生動有力見長。寫海，感覺整個海浮現在面前。初多寫東方故事，後來有小說《諾斯楚摩》（*Nostromo*），是他最成功的作品。故事複雜，人物眾多，寫成功失敗、愛與恨，是近代生活的大觀。又有《特務》（*Secret Agent*）、《在西方的眼睛下》（*Under Western Eyes*）、《機會》（*Chance*）等小說，都是歐洲生活描寫。又寫《勝利》（*Victory*）、《救援》（*The Rescue*），據說《救援》最完美。

對自然界讚美，我以為還屬有神論。

赫伯特・喬治・威爾斯（H. G. Wells，一八六六—一九四六），出身布爾喬亞，謀生求學都做過大奮鬥，從事過新聞業。一八九五年首次發表他的傳奇《時間機器》（*The Time Machine*）。他的小說都是幻想的，現在看過時了。倒是他寫的《世界史綱》（*The Outline of History*, 1920），我讀來興味盎然，譯本很好。

高爾斯華綏，小說家，戲劇更能代表他。

約翰・高爾斯華綏（John Galsworthy，一八六七—一九三三），一般都知道他是小說家，其實他的戲劇更能代表他。他是很有主見的人。著作有《法利西島》（*The Island Pharisees*）、《村屋》（*The Country House*）。

柯南・道爾（Arthur Conan Doyle，一八五九—一九三〇），《福爾摩斯》，大家都知道。不能算文學家的，但名氣太大了。

蕭伯納（George Bernard Shaw，一八五六—一九五〇），戲劇家、評論家，又是個熱心的社會主義者。為人富於機智，才思縱橫。創作《華倫夫人的職業》（*Mrs. Warren's Profession*）、《坎迪達》（*Candida*）、《武器與人》（*Arms and the Man*）。一九二五年獲諾貝爾獎。

他說自己是個典型的愛爾蘭人，是「生來的孤兒」（指精神和心靈）。讚美他的人，說他每一句都是原創的，反對他的人，也承認他的才能。

當年隨母親到倫敦，先在電話公司幹。後寫作，也參加過革命工作，到海德公園演說，起勁讀馬克斯。

柯南・道爾（上），《福爾摩斯》作者，名氣極盛。蕭伯納（下），戲劇家、評論家。他說自己是「生來的孤兒」。

說來抱歉，我一聽到蕭伯納就不佩服（正如我一上來就討厭甘地）。很簡單：既是思想家，何必去找馬？不是我有慧眼，而是誠實地看事情。宗教、自然，只要誠實地去看，都好。

明於析物力，陋於知人心，這是馬克斯理論的要害。這些人（蕭伯納）不論才華如何高超，口才如何雄辯（不論道德理想如何高超），我不取。

蕭伯納、高爾斯華綏等，都是批判社會的，文學上受了易卜生的影響。如何定位？

不要因為莎士比亞而不看易卜生，也不要因為易卜生忘了莎士比亞。永恆是長長的一連串現實，現實是短短的一小段永恆。應該放在什麼位置上，謂之「精深」，在妥當的位置上放得很多，謂之「博大」。

美國文學

傑克·倫敦。上次講過，要補充。這位天才，真的憑直覺，達到極高的知識水準，很可貴。他是十足用肌肉來思想——他是既崇拜尼采，又崇拜馬克斯。要平衡尼采和馬克斯，這人只有死。

美國人對傑克已經很淡漠。這是悲哀的。我為他不平。美國人忘了傑克，德國人忘了雷馬克（Erich Maria Remarque）。

我特別推崇他的《海狼》、《野性的呼喚》。寫得很好，很壯烈。陽剛的美，可望不可即。藝術家是飛蛾，撲向美的火，燒死。托馬斯·曼的《魂斷威尼斯》（*Der Tod in Venedig*。編按：即《威尼斯之死》），是陰柔的。傑克的是陽剛的。

為了避開傷感，我放棄了好多題材。

辛克萊·路易斯（Sinclair Lewis，一八八五—一九五一），老寫平凡的所謂「鄰家故事」，開一代風氣。美國是西方第一個主張平民化的。美國的富翁也平民氣十足。好萊塢的廣義，也是平民式的。

法國文學

當時特別有名的是羅曼・羅蘭（Romain Rolland，一八六六——一九四四），他無疑是個熱心正派的紳士，我少時受他的影響，如果今天還受他影響，我一事無成。一，羅蘭將藝術、藝術家極度概念化；二，他的道德力量是極度迂腐的。

世界上的書可分兩大類，一類宜深讀，一類宜淺讀。宜淺讀的書如果深讀，那就已給它陷住了，控制了。尼采的書宜深讀，你淺讀，驕傲、自大狂，深讀，讀出一個自己來。羅蘭的書宜淺讀，你若深讀，即迷失在偉大的空想中。

巴斯卡談到蒙田，還說蒙田談到自己太多了。

羅蘭的所謂轟轟烈烈，其實就是婆婆媽媽。理想主義，其實是一種傷感情調。

法蘭西忘掉了《約翰・克利斯朵夫》。羅蘭的理想主義，是英雄主義。英雄主義自卡萊爾來，但羅蘭的英雄主義是迂腐的、無用的。

傅雷的英雄主義，第一個回合就不戰了，倒下去了。這裡是對事不對人，他死，畢竟是勇氣。

《道德經》，宜深讀。《離騷》，宜淺讀。《道德經》若淺讀，就會講謀略，老奸巨猾，深讀，會煉成思想上的內家功夫。《離騷》若深讀，就愛國、殉情、殉國，淺讀，則唯美，好得很。

《韓非子》，也宜淺讀。

此時法國出了個柏格森。出身猶太家庭，以《時間與自由意志》出名。他的哲學，簡單說，就是直覺哲學、生命哲學、創造哲學。意思是從時間的本質上，打破心與物的二元論，建立一元的形而上學。今天不細講。這種學說，正符合青年們的心理需要，分清物與心的界限，活力至上。

在歐戰前成名的法國大作家還有很多，如克洛岱爾（Paul Claudel，一八六八—一九五五），為中國熟知。他在上海、福建做過外交官。歐戰發生後，許多作家

羅曼．羅蘭，他的書宜淺讀，你若深讀，即迷失在偉大的空想中。

狂熱從軍（戰後統計，九百多位作家死於戰事），只有少數人冷靜、自守。

戰前，立體派詩人很活躍（從繪畫的立體派過來），有阿波利奈爾、雅各布、薩爾蒙（André Salmon）。

他們是立體派中堅，他們有他們的道理：過去的藝術是模仿，現在要創造。阿波利奈爾有名言：當人要模仿步行時，創造了車輪，而車輪不是一條腿。超現實主義是這樣出現的。

這固然是高明的詭辯，但我要和他吵：向來的藝術，並非真是只在模擬，他們也超寫實，是隱的超寫實，現在不過是顯的超寫實。因為純粹的寫實從來沒有成為藝術。

他是出奇兵，我要正規軍，大軍壓境。

我以為，未來派是立體派與達達派之間的介體。未來派主將馬里內蒂，主張以機械代替戀愛。我也不反駁，只要問：馬里內蒂先生，你自己做得到嗎？

立體、未來、達達，這三派勢力實在不小。

赫爾曼．蘇德曼、霍普特曼是老作家。新作家有恩斯特（Paul Ernst）、威特金特（Weidkind），他們主張新古典主義。凱澤、哈森克來佛（Walter Hasenclever，一八九〇—一九四〇）他們提倡表現主義。

表現主義始自德國，文學、繪畫，都有影響。文學宣言說：「我們人的精神，不但是吸收印象，這種精神反映這微妙的自然，要融化外在印象，以自我表達之。」

凱澤（Georg Kaiser，一八七八—一九四五），寫過《加萊的義民》（*Die Bürger von Calais*），羅丹有同名雕塑。英法交戰，法軍敗，為英軍包圍。忽來使者，只要加萊城出六人死，可大赦全城市民。加萊市開參議會，一軍官認為可恥，對英法皆可恥，號召大家寧死不受此辱。另一參議員艾斯太修（Eustache）主張接受，自願成六死者之一，保全全城。大家感動，另有六人報名，共七人。艾斯太修說，明天到廣場集合，最後來的人就不必去了。翌晨，六人早到廣場，唯艾斯太修未到。不久，人抬其屍而來，終見艾斯太修必死的決心。英王感動，又適得太子，不殺六人，大赦全城。艾斯太修永遠為法人、英人尊敬紀念。

俄國文學

一九一七年後，俄文壇完全改樣。老作家或停筆，或流亡。新作家洶湧而來：赫列勃尼科夫（Velimir Khlebnikov，一八八五—一九二二）、馬雅可夫斯基。馬雅可夫斯基十三、四歲入黨，才氣橫溢，後來為保全黨的顏面，裝成失戀而自殺。他的形象、天才，是一流，可是沒有藝術品。

我也想寫黨的頌詩，可是一觸這主題，才氣馬上橫溢不出來。你看，這種題目一不許悲哀，二不許懷疑，三不許說俏皮話，四不許別出心裁……那完了。世界青年聯歡節時，我也寫過詩：

「我愛我的祖國，我也愛別人的祖國。」

這就完了。

大革命前後的散文，都受萊美沙夫（Aleksey Remizov，一八七七—一九五七）

影響。小說到戰後才漸漸恢復。皮涅克（Boris Pilnyak，一八九四—一九三八）是當時最受歡迎的作家，有小說《荒年》（*The Naked Year*），短篇也很好。還有巴別爾（Isaak Babel，一八九四—一九四〇），是革命後小說家中最成功的，初寫幾百字的極短篇小說，但其中有刺人的力量。

意大利文學

二十世紀初是鄧南遮（Gabriele d'Annunzio，一八六三—一九三八）的天下，但帕皮尼寫過《耶穌傳》，震動全歐；他的心態很勇敢，不信傳統的偶像，以人的角度寫耶穌。中國曾有好譯本，讀時如面真的耶穌。

帕皮尼是高貴純潔的絕望者，貧苦孤獨，作品溫厚細膩，摸下去，才知他的底牌——他最愛尼采。他愛尼采，又寫耶穌。

大美學家克羅齊（Benedetto Croce，一八六六—一九五二），代表作《美學原理》（*Breviario di estetica*），影響了歐洲批評界。

西班牙文學

伊巴涅斯（Vicente Blasco Ibáñez，一八六七—一九二八），有中文譯本《啟示錄四騎士》（*Los cuatro jinetes del apocalipsis*），《血染黃沙》（*Sangre y arena*），寫鬥牛士。

貝納文特（Jacinto Benavente，一八六六—一九五四），先學法律，後寫小說、抒情詩，又寫戲劇，和易卜生、蕭伯納是一路的，對西班牙社會痛加諷刺。

下面通盤帶一帶——

猶太文壇也很有起色。多以意第緒文（Yiddish）寫。我只想談賓斯基（David Pinski，一八七二—一九五九），大戲劇家，思想近於安德烈耶夫，非常絕望。

匈牙利文學。摩爾（Mór Jókai，一八二五—一九〇四），小說家，被稱為匈牙利的司各特。

當時裴多菲（Sándor Petófi，一八二三—一八四九）是個民眾景仰的英雄，在戰場上失蹤，不知所終。中國有一位孫用翻譯過他的詩集，優美，天然流露。

保加利亞文學。伐佐夫（Ivan Vazov，一八五〇—一九二一），人稱，由於伐佐夫，世界文學不得不向保加利亞看一看。

中國文學

最後談到中國。二十世紀初期的中國還是很落後。相對世界文學可提的，只有一李寶嘉（一八六七—一九〇六）寫的《官場現形記》、《文明小史》，還不懂小說寫法，結構鬆散，尚能表現真實，傾動一時。吳沃堯（一八六六—一九一〇），寫《二十年目睹之怪現狀》，也是揭發時弊。

他們是歐洲大文豪的同代人，還晚於他們。

還有《老殘遊記》，作者劉鶚（一八五七—一九〇九）。《孽海花》，作者曾樸（一八七二—一九三五），字孟樸，別號東亞病夫（從前別號很多而怪：天虛我生、不肖生、半老書生等）。《老殘遊記》寫江湖醫生老殘的經歷，文筆不

劉鶚，《老殘遊記》作者。

錯，可你說它是文學，又不像。《孽海花》作者很有學問，通一點西洋文藝，譯過法國小說《肉與死》。

西風慢慢吹過來，吹到曾孟樸，有點感覺。

當時無人寫戲曲，研究戲曲的人卻很多。王國維寫過《曲錄》，吳梅（一八八四—一九三九）寫有《顧曲麈談》（麈，音主，意指大鹿的尾巴，狀如拂塵；鹿行，追隨前鹿之大尾）、《詞餘講義》。

王國維（一八七七—一九二七），字靜安，浙江海寧人，可算是二十世紀初唯一的中國批評家。他已讀過叔本華、尼采，他的《人間詞話》，可以讀讀。他是第一個發現《紅樓夢》是悲觀主義的。中肯的。

其他詞人、詩人，也有一大批，多被人忘了。詩人，有鄭孝胥、陳三立、陳衍、沈曾植，都是崇宋詩的。詞人，有朱祖謀、況周頤、馮煦、曹元忠、王國維。

翻譯家有林紓（一八五二—一九二四）、嚴復（一八五四—一九二一）。林紓，有功是有功，譯文不知所云。他是聽人念，然後組成中文。

提倡新學，有康有為（一八五八—一九二七）、梁啟超（一八七三—一九二九）、章炳麟（一八六九—一九三六，號太炎）。章說是提倡新學，但不翻譯，他是大國學家。

胡適（一八九一—一九六二），當時在《新青年》上發表〈文學改良芻議〉，中國的新文化、新文學，才算一浪一浪過來。

這樣一個過程——從《官場現形記》到《人間詞話》——沒有漸變，一下子跳到新文學，中國的文學改革，先天不足，各方面不成熟，思想不滲透，文字也夾生。

李寶嘉，根本不懂西方文化。孟樸、王國維，稍知表皮。康、梁是實用的，借西方改革中國政治，並非真的要西化。章太炎的最高理想，是用道家的方法論解釋佛家的目的論，這境界，他以為高得不能再高了。他對外國牌香菸嗜之若

胡適，發表〈文學改良芻議〉，中國的新文化、新文學，才一浪一浪過來。

命，西方哲學，他不理睬的。

中國現代文學之所以弄不好，實在是先天不足，再加上後天失調。「五四」，勁是足的，生命力是強的。抗戰後，就沒有文藝了。再往後，文藝忘了本。一九四九年後，歌功頌德，反右、反胡風，「五四」一點元氣，完全斫傷。近十年，惡補了一陣，對西方現代文藝，生吞活剝。這都是後天失調。港臺自由，文藝也乏善可陳。不全是政治問題，總之先天失調，這是中國國運。

講講蘇曼殊（一八八四—一九一八）：

〈題拜倫集〉

秋風海上已黃昏，獨向遺篇吊拜倫。

詞客飄蓬君與我，可能異域為招魂。

〈本事詩．烏舍凌波肌似雪〉

春雨樓頭尺八簫，何時歸看浙江潮？

芒鞋破缽無人識，踏過櫻花第幾橋？

〈東法忍〉

來醉金莖露，胭脂畫牡丹。

落花深一尺，不用帶蒲團。

結論——沒有結論的結論——既然這是國運，可能會否極泰來。我看不到了。你們也許看得到。昨夜我想到陸游兩句：

王師北定中原日，家祭無忘告乃翁。

等你們告訴我。我們以後回國，是絕望者的播種。

第59講

二十世紀現代派文學

現代派／先鋒派　叔本華　生存意志　生命衝動　尼采

1992.4.19

影響現代藝術的四位大哲學家，兩位是貴族性的：叔本華和尼采；他們影響的人，在二十世紀寥寥可數，但都是大師級的藝術家。
兩位是平民性的：柏格森和佛洛伊德；深得人心，影響廣泛。

在柏格森之前，藝術家憑生命衝動、憑神秘直覺已經工作了幾千年了。他的生命衝動說，是哲學的「馬後砲」。

佛洛伊德對大家都有好處，對心理學、醫學、文學、娛樂圈有好處，對警察局破案，也有好處。他的性學說，以偏概全，又要解釋一切。只這麼一說，好；說一切，不好。

現代派的時代特徵

菜吃到這裡，跟我們特別有關係了。

中國有譯名，稱「先鋒派」。講清楚：現代派、先鋒派，不是單一的流派，是許多反傳統文學的種種流派的總稱。

當十九世紀快結束時，世界各國知識分子對現實都不滿，精神苦悶、消沉、悲哀，所謂世紀末的悲哀。中老年知識分子退回內心，守住自我（最後一塊陣地），通稱個人主義。年輕知識分子喜歡標新立異，傾向「安那其主義」（Anarchism，即無政府主義），巴金、許杰，在當時都屬這一類。

無政府主義——主張回到最原始的狀態，無政府、無軍隊，單憑道德良心生活——行不通的。他們有的就暗殺政府人員（推到早一點，老子、莊子，無政府主義）。

現代派文學是在這樣的時代特徵下產生的。

最早出現的流派，即上次講過的象徵主義。波特萊爾的《惡之華》被稱為象徵主義的奠基石。他本人不這麼想，是後人評價的。

第一次世界大戰（正確講是「歐戰」）發生前後，直到二十世紀二十年代，各種派別先後出現，形成高潮，有後象徵主義、超現實主義、意識流小說、未來主義等等。

一批有世界性影響的作家：愛爾蘭的喬伊斯（James Joyce，一八八二—一九四一）、奧地利的卡夫卡、法國的普魯斯特、比利時的梅特林克；詩人有英國的葉慈、T．S．艾略特，美國的龐德。

到了三、四十年代，因為反法西斯，文學又出現轉入現實主義的流派。蘇聯、西歐，都出了許多小說家，有的入黨，有的放棄個人主義。

但那時的現代派文學，在第二次世界大戰前後，暫時沉寂。法國阿拉貢（Louis Aragon），美國法斯特（Howard Fast），都加入共產黨，羅蘭、紀德，也親共。

二戰後，悲觀氣息又起，存在主義應運而生。

存在主義風行一時後，現代文學再度風起雲湧，可稱後現代文學。有沙特、卡繆代表法國存在主義，是存在主義的創始人和主將。

以法國的伊歐涅斯柯、愛爾蘭的貝克特、美國的阿爾比（Edward Albee）代表荒誕派戲劇，法國的阿蘭．羅伯—格里耶代表新小說派，海勒、馮內果代表美國黑色幽默派，奧斯本（John Osborne）代表美國「憤怒的一代」（Angry Young Men）。

他們大都和存在主義哲學有關聯，藝術上各有標榜，各有特色。

現代派文學的思想來源

現代派在思想內容上有何特點？鼓吹非理性主義。

什麼是理性主義？從蘇格拉底到啟蒙運動，到十九世紀末，很長一條理性主義道路，後有直覺主義起來對抗。

這一來，和傳統文學大大不同了。歐洲從希臘、文藝復興到十九世紀，都是提倡理性，多是現實主義的。現代派反這個東西。

二戰前，現代派文學受的是叔本華、尼采、柏格森哲學影響。二戰後現代派文學，受的是存在主義哲學影響。

我一直講存在主義並無新意，是大戰後青年人沒有心思去細讀叔本華、尼采、柏格森的原典，存在主義是前三者思想的通俗化、平民化，抄近路，正好合了戰後青年的胃口。

咱們還是談談存在主義老祖宗：叔本華、尼采、柏格森三人的哲學。

叔本華（Schopenhauer，一七八八——一八六〇），認為生存意志（或稱生命意志、生活意志）是萬物之源，理性是管不住的，宇宙意志，即人的意志，就是我的意志，世界就是「我的意志」。意志，是不盡的欲望、厭倦，欲望沒有盡頭，人的一生充滿痛苦。

是佛家思想的歐化——而且說了一半。他講的是佛家講的「人間苦」，另一半，清靜、超脫，叔本華不講，講下去，就成宗教。他的哲學，不講救世一套。不能不承認，叔本華哲學講清了一個東西。

叔本華，認為生存意志是萬物之源，理性是管不住的。

柏格森，認為生命的衝動是宇宙萬物的主宰。物種形成進化是這種衝動的派生物。理性無法瞭解這世界，科學知識是理智的概念，人造的符號，不能翻譯宇宙本質，只有憑直覺達到主體客體無差別的境界。

這對所有現代藝術起了深刻廣大的影響。

要注意，都是反對古代的論調。都不要相信哪個哲學家講出了終極真理。人就怕去求真理——找到了，就已經不是真理了。

尼采（Friedrich Nietzsche，一八四四—一九〇〇），早期是叔本華的信徒。後來反對叔本華，悟到叔本華的生命意志不符他的想法——權力意志。

由此產生超人哲學——人從猴變，已看不起猴，現在人不行，就要超人。他認為要超人、強人來統治這個世界上的弱者、平民。可誰是超人？強人？法西斯利用他，他知道了，不會喜歡法西斯的。

他提出「藝術就是藝術」（這接近真理）。此前，藝術被說成各種東西。他又說：「藝術高於一切。」這又說得好。

是很大的一刀砍下來。

以藝術的原理來看這個世界。你想，如果世界像交響樂一樣，多好！其實冥冥之中，藝術一直在保護人類——如果這世界沒有這藝術，能想像嗎？

還有一個人不能忘掉：佛洛伊德。他的「潛意識說」，對藝術有莫大的影響，是藝術家內在的潛意識的外化。以性解釋一切。

接下去就是存在主義。他們宣稱：先有主觀意識，再有客觀存在。認為世界是荒謬的，人生是痛苦的，我反抗，故我存在。福樓拜說：唯心、唯物，都是出言不遜。

影響現代藝術的四位大哲學家，兩位是貴族性的：叔本華和尼采；他們影響的人，在二十世紀寥寥可數，但都是大師級的藝術家，數得著的，都是位置最高的。

兩位是平民性的：柏格森和佛洛伊德；深得人心，影響廣泛。

叔本華沒有原創性，是佛教的歐化。尼采是貴族中的貴族，可以好好研究下去。

柏格森是現代野蠻人。佛洛伊德的影響，在二十世紀是全方位的（包括各種色情業）。論影響，佛洛伊德最大，尼采最小——應該是這樣，也是我們這個世紀的悲哀。

現代派文學的特徵

現代派文學的思想來源表過了，其文學特徵：

一，強調表現自我，不重視環境描寫，把個人內心活動作為寫作的重心。人的情緒、聯想、幻覺這些微妙變化，是現代派作者的拿手戲。人的異化，人的非人，是他們感興趣的。是尋找自我的文學。

英雄、偉人，不見了。人物都是卑零的、微末的、畸形的、游離於社會之外的陌生人。

我從前也寫這些小人物，我的感覺是這些小人物身上還有點人味，寫英雄偉人，太肉麻。

二，以前傳統的寫實主義，典型環境典型人物這套把戲被拋棄了。現代文學的人物都是模糊的，形象支離破碎的。也有書做成活頁的、不裝訂的，可以隨看。

我認為好多現代派作品是濫用自由。沒有一種技法是必然成功的。

三，象徵手法。表現派、荒誕派作家也都用象徵手法。以直覺、感應、偏愛來運用象徵手法。以具體形象表現抽象概念，物質形象表達微妙幽謐的思想感情。現代派的用感覺表達思想，是認為思想可以還原為感覺，是柏格森那裡來的。

他們反對「典型說」的現實主義，又反對浪漫主義直接表達感情。這種說法，是可以贊成的。

還有所謂「意象主義」，可成一派。但和象徵主義有分不開的關係。

四，意識流。這是現代派作家普遍採用的。這意識流，可以說完全是新的，適合表達主觀的內心世界，又開發了潛意識的結構和深度。

我用意識流的方法寫散文——意識流小說已經給人寫得很成功了。第一個用，用得最成功的，是普魯斯特——序言寫得非常成功，但序就是散文。

五，荒誕。也是手段、方法，把現實事物誇大到極度怪異、不可能。可說是大規模的漫畫，是處心積慮的幽默。

六十年代我曾寫過一個劇本：一男一女結婚，親友送許多家具，婚後，又總是揀便宜的家具買進。三幕之後，臺上全是家具，丈夫回家，門口叫一聲，妻子從臺角曲曲折折繞轉彎身好半天才能投入丈夫的懷抱。最後一幕，把所有家具都賣了，剩一棵聖誕樹。

以上，大致五種，還不全面。

接下去講「後現代派」。

二次大戰後，歐洲人的精神、靈魂，處處是廢墟、創傷，感到前途渺茫，情緒低沉。聽說德國大學生戰前好讀尼采，戰後好讀老子——老子畢竟撓不到德國青年的癢，存在主義乘虛而起。

認為自我的存在，才存在，自我高於一切。群眾是愚蠢的。最大的恐懼就是死亡——人存在，就是等待死亡。愛爾蘭作家貝克特的劇作《啊，美好的日子》，開幕時一個老婦在臺上，半截身子已埋在黃土中，但仍然按照習慣，每天梳頭、洗臉、刷牙，嘴裡說：「啊，美好的日子。」

黑色幽默揭露黑暗、憤怒，但又知道沒有希望。

*

我們現在所處的時間、地點，是非常有幸的：現代過去了，後現代乏了——我們到了痛定思痛、鬧定思鬧的時候。我們的立足點不是痛，不是鬧，而是「思」。

叔本華的「人生無常，欲望不能滿足」，沒有多大新意。古印度、波斯、中國的詩文，早已講得透徹，而且東方人以自己的方式得到快樂。欲望固然是野馬，而高超的騎手，馳騁如意。叔本華本人就很長壽。

尼采高超，不可估量，今天還有餘地——但畢竟還是常識。別人沒有這點常識，所以他高超：光憑關於「藝術」這兩句話。不過這兩句話，在我看來是「粗話」，不必對粗人說的。尼采是入世的，所以他瘋狂。莊子佯狂，但他是出世的。佯狂是為自保，尼采不知自保。

他真正的偉大，是「一切重新估價」。

他觀察、思辨的博大精深，無人可比。可是人不知他的真相。他總是從最原始的角度來看世界，想世界。

二十世紀不配受尼采影響。以後的世紀，恐怕也不會受他影響。但是總有這麼一個兩個藝術家，飛得很高，畢生實踐「藝術高於一切」。

柏格森所謂「生命衝動」是宇宙萬物的主宰，詞義上是錯誤的。宇宙是無機物構成的，其中只有極少極少一部分有機物是含生命的，才扯得上「衝動」。這樣，柏格森的理論效應就縮得很小很小了。

他說理智不能認識世界，我看直覺也不能認識世界。或者說，理智認識理智的部分，直覺認識直覺的部分。

世界是可以形容的嗎？物質、生命，這是人在說。

人能創造、能運用的，只限於符號，除了我們才懂得的一些符號，我們什麼也沒有。科學的符號不能反映世界本質，哲學符號、藝術符號，能反映世界的本質嗎？

直覺也不能反映世界——但直覺創造藝術。

音樂全靠直覺，可以使所謂主客體達到無差別的境界。

他對現代藝術影響是大。但沒有柏格森，現代藝術也會這樣的。在柏格森之前，藝術家憑生命衝動、憑神秘直覺已經工作了幾千年了。他的生命衝動說，是哲學的「馬後砲」。

生命衝動說相對於宇宙，是以極小的「卵」擊極大的「石」。

但藝術家唯一可靠的是直覺。可是莫札特的直覺，只有莫札特有。

佛洛伊德對大家都有好處，對心理學、醫學、文學、娛樂圈有好處，對警察局破案，也有好處。他的性學說，以偏概全，又要解釋一切。只這麼一說，好；說一切，不好。

（休息。聊到占卜、求籤、算命，惜未記。）

後現代來勢洶洶。我是規規矩矩思想門第出身——從希臘一路過來——十五、六歲時初聽到現代派，心裡吃慌，但緊跟著，後現代來了（我們知道時，在西方都是過時了的）。

整個世界文學史，是一浪推一浪，浪漫反古典，現實反浪漫，但那時比較客氣，你中有我，我中有你。歌德，古典、浪漫都有。現代派，是大反特反，離譜，破壞作用很大。

世紀末，現代派已經破滅。再反下去，要嘛置之死地而後生，要嘛永劫不復。

講到現在，是個關頭。我們面對現代，有所為，「為」什麼？有所不為，「不為」什麼？

我自己還沒有創作出什麼，我的文學，身處死地，但我不甘心，還是要求生。諸位來聽課，應該說，也是為了求生。

我們處的時代其實非常好——四十多年和平，冷戰結束，共產破產。當然，做人最好是十九世紀，既然生在二十世紀，還是八、九十年代最好。

我要是活在二十世紀三十年代，不好。至少駁不倒唯物辯證法，會和魯迅先生吵，不會像現在這樣看得穿。

當時塵埃沒有落定。八、九十年代，可以窗明几淨，坐下來說，坐下來寫。

波特萊爾說：現在是沉醉的時候。我說：現在是思想的時候。

現代派的起迄

「現代派」是哪一天誕生的？半世紀來評家爭論不休。以龐德觀點，凡二十世紀以後，都算現代。

威爾遜（Edmund Wilson），把一八七〇年定為現代派的誕生。

美國批評家康諾里，認為是十九世紀八十年代。

裴德爾認為合理的時代是始自一九〇〇年。

也有比較詩意的說法，是說唐吉軻德騎著瘦馬出來時，「現代」開始了。

我以為意思不大。文學不是戰爭，沒有開戰日。

勃蘭兌斯說應算始於一八九〇年，我以為比較中肯。波特萊爾《惡之華》發表，是一八五七年（以上是講現代派的初生）。

也有關於現代派的下限：

美國有說一九七〇年，現代派文學終結了。而克洛德．西蒙一九八五年得諾貝爾獎後，法國又搞起新小說派來，還沒有完。拉美的馬奎斯（大陸譯馬爾克斯）一九八二年得諾貝爾獎。

我看這下限未可預知，還能有一百年餘波。

現代派已有大成者：普魯斯特、喬伊斯、吳爾芙夫人。

我內心的口號是：不做大成者，要做先驅者。一入流派，就不足觀。所謂時髦，就是上當的意思。

以上云云，是簡單介紹，不是詳細分析。

中國的現代派和後現代派

附帶說說：中國有沒有現代派和後現代派？有，但等於沒有。都是淺嘗者。

二十年代，出洋留學風氣很盛，特別是到法國。有一個叫李金發的，不但讀象徵派的詩，且將波特萊爾、魏爾倫稱作「我的名譽老師」。一九二五年在《語絲》上發表一首〈棄婦〉，又出版詩集《微雨》、《食客與凶年》、《為幸福而歌》，自稱象徵主義。我讀過，幼稚的。

馮乃超、王獨清、穆木天、胡也頻（一九三一年和柔石一起被國民黨處決），都是現代派，很年輕，才華有限，對西方文化領會很淺。

三十年代後，有施蟄存、杜衡合編《現代》月刊，又有戴望舒、梁宗岱等創《新詩》月刊。少年時代我很興奮地看他們的刊物，總覺得譯作好，他們寫得不好。

徐志摩也很賣力。馮至，還標榜受里爾克（Rainer Maria Rilke，一八七五—一九二六）影響。比較像樣的是何其芳：三十年代初出《預言》，他自稱受梵樂希影響。他的文字比較流利、唯美，用點小象徵（比八十年代後的現代詩人好，大器）。他後來去延安，成了黨官。他研究過艾略特。

他們追求西方現代詩，是投機，後來參加革命，也是如此。最有功的是翻譯，李廣田、卞之琳、盛澄華，譯筆都好極。

講這麼點舊事，常識。

再轉入正題：

唯有把叔本華、尼采、柏格森、佛洛伊德這四位近代的思想先驅，反反覆覆弄懂，才可能有所超越。

中國當代有兩件事可做：

一，忠實、精美地翻譯出版原著，不要加按語。

二，堂堂正正開展學術研究，贊尼采，就極力讚揚，反對尼采，就極力反對，都講出來。

民國版書影。

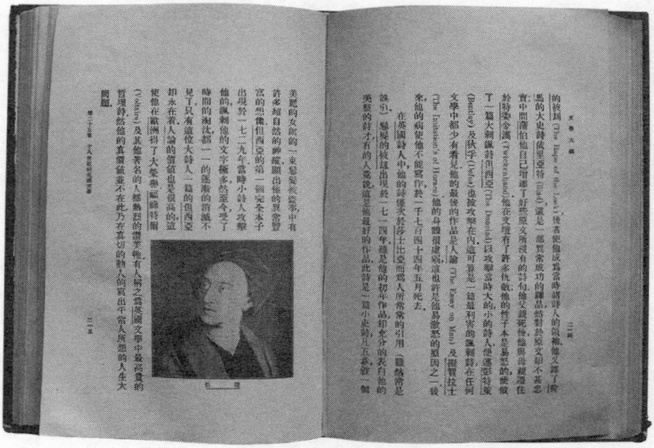

文學大綱　二二四

的被圍(The Rape of the Lock)，使者使他成爲當時諸詩人的領袖。他又譯了荷馬的大史詩依里亞特(Iliad)，這是一部異常成功的譯品，然對於原文卻不甚忠實。中間蒲伯他自己增添了好些原文所沒有的詩句。他父親死後，他與母親遷住於特簽令漢(Twickenham)。他在文壇有了許多仇敵。他的性子本是易怒的，便做了一篇大嘲諷詩但西亞(The Dunciad)以攻擊當時大的、小的詩人，便透彭特萊(Bentley)及狄孚(Defoe)也被攻擊在內。這可算是一篇最利害的諷刺詩，在任何文學中都少有看見。他的最後的作品是人論(The Essay on Man)及擬賀拉士(The Imitation's of Horace)。他的身體很建弱，這也許是他易激怒的原因之一。後來他的病使他不能寫作，於一千七百四十四年五月死去。

在英國詩人中，他的詩僅次於莎士比亞而爲人所常常的引用（羅勃蒂是誤引）。驅逐的被掠出現於一七一四年，雖是他的初年作品，卻充分的表白他的美麗的詩才。有的人竟說，這是他最好的作品。此詩是一篇小史詩，凡五卷，敘一個美麗的女郎的一束鬈髮被盜事，中有許多超自然的神祇，顯出他的異常豐富的想像。但西亞的第一個完全本子出現於一七二九年，當時小詩人攻擊他的、諷刺他的文字極多，然至今受了時間的淘汰，都一一的逐漸的消滅不見了，只有這位大詩人一篇的但西亞卻永在著。人論的價值也是很高的，這使他在歐洲得了大榮譽。福爾特爾(Voltaire)及其他著名的人都熱烈的讚美他，有人稱之爲英國文學中最高貴的哲理詩，然他的真價值並不在此，乃在真切的將人們寫出平常人所想的人生大問題。

蒲伯

第二十三章　十八世紀的英國文學　二二五

民國版書影。上：鄭振鐸《文學大綱》內頁。下左：中國所編寫的《雪萊生活》。下右：馬宗融譯屠格涅夫《春潮》。

第60講

影響二十世紀文學的哲學家（一）

柏格森　直覺　佛洛伊德　本我　自我　超我

1992.5.3

柏格森認為，「自我」是由「我們通過深刻反省」而達到的。這種反省使我們掌握內心狀態，並使我們把內心狀態視為鮮活的、變化著的東西。而在這基本的「自我」以外的東西——即所謂日常生活、客觀世界——只是「自我」的鬼影。

本我循快樂原則，自我循現實原則，超我循道德原則。本我是「要不要」，自我是「能不能」，超我是「該不該」。

天才的潛意識和性欲特別強——天才的自我、超我，也要特別強。

從前我的學生，談的都是文學。「文革」後，撐不住了。為什麼？想起來了——我沒有同他們講哲學。沒有哲學底子，做人沒有一個根基，他們頂不住，我頂住了，就是這道理。

柏格森——直覺主義

亨利．柏格森（Henri Bergson，一八五九—一九四一），出身巴黎高層次知識家庭，猶太人，文學、數學俱高超。高中即展露才華。巴黎高等師範學院畢業後，一直在巴黎任中學教師（馬拉美終身中學教師，舒伯特小學教師）。一八九七年，升任法蘭西學院講師，一九〇〇年，任教授，開講希臘羅馬哲學課程，發表一批重要的哲學著作，並來美講學，初步架構了他的哲學體系。

一九二三年被推介為哲學學會主席。一九二七年得諾貝爾文學獎（六十八歲），譽其「豐富而生氣勃勃的思想，表達手法的卓越」。

一九三七年寫遺囑，全面回顧他的生命和哲學。主要著作：《時間與自由意志》（*Essai sur les données immédiates de la conscience*）、《物質與記憶》（*Matière et mémoire*）、《形而上學導論》（*Introduction à la Métaphysique*）、《創造進化論》（*L'Évolution créatrice*）、《道德和宗教的兩個來源》（*Les Deux sources de la morale et de la religion*）。

文筆非常好，讀下去有味道，結構嚴謹，風格汪洋恣肆，被稱為歐洲散文的典範。和尼采比，不一樣，尼采完全是詩，是藝術的。柏格森還是個哲學家，但通文學。

直覺主義——直覺主義和反理性主義，互為表裡。直覺主義，即可謂反理性主義；反理性主義，包含了直覺主義——是柏格森哲學的認識論的本質、特徵，也是他方法論的基礎。

一，人的理性不能認識世界，也不能認識真理。感覺、判斷、概括、演繹、歸納等等，都不能認識世界，也不能表達真理。一切理性的求知活動都是採用靜止、僵化、不變的概念去接觸流動變化的生活衝動。感覺、判斷等等是人造符號創造出來的，不能揭示實在事物的本形和本意，至多提供實在事物的投影。

這是完全反馬列的，反唯物主義的。

二，超感覺的直覺，是認識世界、把握真理的唯一方法。直覺——超越理

柏格森，通文學的哲學家。一九二七年得諾貝爾文學獎。

智、超越世界表像的一種內心體驗，使主觀和客觀成為無差別的境界。「所謂直覺，是理智的交融，使人們置身於對象之內，以便與其中獨特的、從而無法表達的東西相符合。」這是他對直覺的定義。

我們要原諒每個哲學家的結結巴巴。

三，直覺的三大特徵：

A，直覺的認識對象，不同於理性的認識對象。理性停留在事物的表面、局部、外圈，都是相對的，而直覺可以達到事物的絕對的領域，即是發生衝動的，不停變化、運動、綿延的領域。直覺「能朝向事物的內在生命的真實運動」，解釋生命的內在本質，探討宇宙萬物的奧秘。

B，就進行的方式看，理智是靠感覺思維和實踐而進行的。直覺是憑意志的努力，使人的心靈「違背自身，一反它平常的思想所習慣的方向」，超越感性、理性和實踐的過程，這只能借力於自身的天才。換言之，直覺是天才人物的特質、特權。

C，以直覺的目的而論，不同於理智為實踐而用。直覺排除任何實際功能，為直覺而直覺，是空靈、唯美、享樂的。

中國的莊子、老子，都是憑直覺創造他們的哲學。莫札特、蕭邦都是憑直覺作曲。釋迦牟尼、耶穌，也是靠直覺傳道。

柏格森的哲學，是為了天才寫的，是為藝術家寫的。天才創作了作品，其他天才和非天才一起享受。

在《時間與自由意志》中，柏格森提出了「生命哲學」（Philosophy of Life）的綱領，他認為：綿延（Duration）、基本的自我、真正的時間、生命的衝動（Elan vital），這些因素構成了世界的基礎和本質。

在這些因素中，最要緊的是弄懂這個「自我」。

他認為，「自我」是由「我們通過深刻反省」而達到的。這種反省使我們掌握內心狀態，並使我們把內心狀態視為鮮活的、變化著的東西。而在這基本的「自我」以外的東西——即所謂日常生活、客觀世界——只是「自我」的鬼影。這樣，「自我」豈非就是世界的來源，而且一直會綿延下去。

所以，「自我」的綿延，綿延的「自我」，兩者等同，這便是最基本的存在。

柏格森之前，一般認為「自我」是一種精神實體。柏格森認為「自我」是純情緒性的，是「自我」延綿本身，是心理體驗本身。

他否定傳統說法，認為「自我」運動是循邏輯的，他認為「自我」是絕對自由的，與邏輯是相互排斥的。為強迫「自我」納入邏輯，等於取消「自我」。

如此說來，「自我」只有質，沒有量，無法認識，語言也失效（佛、道，都講這東西，到了禪，就「不講」了）。

再則，「自我」是不間斷的，無法切割的，因此語言失效，一著語言文字，心理體驗的流程就會僵死，因而歪曲了「自我」。

這在西方很新，中國都有過，道家、釋家、魏晉玄學，只是描述得文雅一點。

柏格森的時空觀：

他說：在我之外，什麼都沒有——在運動著，這就夠了。

很接近《易經》。《易經》就是「動」的理論。「經」，在古文中與「逕」、「徑」相通。

唯物論非常恨這東西。他們的目的論太強。列寧看到愛因斯坦出現，很煩惱，問是否有人能駁倒他。

自我綿延不具有物質性的功能。他說：「沒有已經造成的事物，沒有自我保持狀態，只有正在變化的狀態。」

「如果我們把『傾向』看做一種開始了的方向變化，那麼一切實在都是『傾向』。」

他不認為運動變化有什麼主體。運動也沒有物質屬性。他說，運動是精神的屬性，是一種心理上的綜合，而不占有空間的過程。運動是綿延，而非廣度，是性質，而非數量。

他認為時間不是一維的，無所謂倒退、順進，無所謂過去、未來。故黑格爾說，宇宙是由概念預設的，世界不過是其演繹。

柏格森的美學觀：

他沒有專門的美學著作，他以哲學影響西方藝術家。在審美意識和審美對象的關係上，他認為只有直覺是溝通、構成審美對象與審美意識的紐帶。掌握生命現象和精神實質，靠直覺。分析綜合、演繹歸納，都不能把握美、發現美。

是啊，你看希臘雕刻，聽巴哈、莫札特，全是直覺，什麼話也無法說，你有什麼好說？還有對美人的直覺。讀小說，雖然有種種詳盡的描寫，但你認識一個人物，也是直覺。

禪宗的悟，本也是天才的事，許多人也學禪，硬參，苦死啦，苦得有人變了瘋子，有人做了騙子。

在座多數是畫家，愈是上乘的畫，愈重直覺。說起來，繪畫憑視覺，看一張畫的整體感，則全靠直覺。林布蘭、塞尚，遠遠望去就是林布蘭、就是塞尚，這不是直覺嗎？

「以直覺把握美」，對後來的藝術家影響莫大。

我以為柏格森是「為藝術家而思考的哲學家」。

在美的本質上，他否定美有客觀的屬性，認為自我、生命衝動，是萬物本源，體現最高的美。所以，他的美學也可謂之「生命美學」。

現代藝術表現多層次的心理結構，表現原始的生命之流，在內心中碰撞、衝突、激盪、升騰、逆轉，各用各的精明技巧呈現心靈的流動性、矛盾性、可變性，還表現災難性、孤獨感、毀滅感。

柏格森的生命哲學：

有一點不好懂——他講得不夠透闢。他說：

生命，是心理的東西。

哲學有它的可悲性，一定要靠文字語言。文字、語言，能夠達意嗎？如果文字語言不能達，哲學的「意」就比文字語言更深刻嗎？我以為，有時候文字語言高於意義。

可譯：生命，是心理之物。

或者：生命，是心理之象。

或者：生命，是心理的現象。

他又說：意識，或毋寧說是超意識，是生命之流。

我譯成：與其說意識是生命之流，不如說，超意識是生命之流。

「綿延意味著意識，由於我們以綿延的時間來描寫事物，所以我們在事物深處加添了某些意識的成分。」

用藝術家之間的平等關係看哲學家，比較能瞭解柏格森的這段話。他這樣寫法，委婉動人。

他總是把綿延與生命等同。他結論說：「這就是在時間中流動的我們的人格，也就是綿延的自我。」

自我、綿延，產生生命，生命派生世界萬物。神秘的，在於「自我」、「綿延」這兩說。

他的興趣不在自我的形成與由來，避開。他認為生命衝動即是人的自我綿延，也就是世界的客觀基礎。

他認為人是生物進化最有成效的產物，人的本質就是世界本質，構成派生萬物的神秘力量。

前述我都同意，這一點，我不能與他妥協，即生命哲學這一點，我不以為然。

我認為宇宙和生命是兩個構成。宇宙是無機物構成的，無所謂生命衝動。人類、動物、植物，是有機物組成的，有所謂生命衝動。

生命在宇宙中是偶然的，是反宇宙的。其傾向是毀滅自己，不是進化，是惡化。

所以，康德說：對於宇宙的沒有目的，感到恐怖。

他說，生命派生萬物是千差萬別的，大概可分兩種基本類型、傾向：

生命衝動的自然運動。

生命衝動的自然運動的逆轉。

前者是直接向上噴發的，產生一切生命形式；後者是往下掉的，產生一切無生命的物質。這兩者又是對立的，又是滲透的、一致的。生命衝動有三個特點：

任意的，衝動的，盲目的。

幾乎每個哲學家都要落到自己的陷阱中，拿一個觀點去解釋一切，就豁邊了。

我有比喻：

思想是個槓桿，它需要一個支力點。思想求的支力點就是各種主義，靠這些主義為支點，思想家的槓桿翹了翹——世界如故。

我以為這種支力點是不存在的。

我最有興趣的還是柏格森的直覺論和唯天才論。

佛洛伊德——本我、自我、超我

佛洛伊德（Sigmund Freud，一八五六—一九三九），大心理學家，也是精神病醫生，精神分析學派的創立者。生於奧地利，父母猶太人。四歲遷居維也納，童年由父親教課。天賦高，後轉入維也納醫學院學醫，得博士學位。

他有好友名布魯爾（Josef Breuer），教授，也是醫學家，為一位女病人治療歇斯底里，用催眠術醫好。佛洛伊德得啟示，想到人的意識背後另有潛在的強烈意識，乃創立自己學說。他認為人類分三種意識：

意識，前意識，潛意識。

例如，治好精神病人，要讓病人自由聯想，挖出潛意識裡壓下去的不能滿足的欲望，這欲望不能滿足，遂發瘋。他指的這層潛意識，主要是指性意識。

當一欲望抑制到自己都不覺得時，就可能導向發瘋。

催眠，是讓你解脫，控制住意識，潛意識的動機、欲望於是上升，得到滿足，病癒。

一八九五年，他和布魯爾合出一書《歇斯底里的研究》（*Studien über Hysterie*），奠定精神分析學的基礎。

他又自我分析，發現自己戀母、嫉妒父親，遂發明「伊底帕斯情結」（Oedipus Complex），即戀母情結。

他的朋友不同意此說，分開。佛洛伊德遂與另一朋友佛里斯（Willhelm Fliess）共同研究，以通信方式（傳說佛洛伊德是同性戀、陽痿者）。

凡偉大者，得到一個奇妙的角度，見人所未見。

十九世紀九十年代，猶太人在歐洲已受到迫害，他堅持研究出《夢的解析》（*Die Traumdeutung*），時一九〇〇年。此書是精神分析學的代表作，可當時遭到冷遇，只印六百本，賣了八年才賣完。但世紀初，他名滿天下。一九二三年患口腔癌，三十年代法西斯起，他逃到英國。一九三九年死於英國。

另有書《精神分析引論》、《精神分析引論新編》、《精神分析學》。

佛洛伊德，自我分析，發現自己戀母、嫉妒父親，遂發明「伊底帕斯情節」，即戀母情節。

他認為：精神過程都是無意識的。有意識的精神過程不過是孤立的動作。有意識是孤立的，無意識是本質。意識，只是冰山的一角。意識是能認識自己、認識環境的一部分。潛意識是人自己不瞭解的，內心隱蔽的深藏的一部分。

精神病源，往往都是性衝動。正是那些性衝動，是人類最高藝術的動力，「其貢獻是再高估也不為過的」。

潛意識與性本能是相關的。（歌德說：「世界一切罪惡的事我都可以去做，但我沒有去做。」）潛意識在大的廳，意識在客廳，中間有看守者，凡湧進客廳者，前意識也，然後成為意識。

每種意識，最初都是無意識。無意識是第一性的，意識反而是第二性的。分析毛，也要著眼他的潛意識——他的意識，是黨、國家、人民、馬列。從功能上講，無意識固然豐富、深廣，但意識畢竟是人的心理狀態的最高形式。那位看門人，我稱之為「技術官僚」。

三部分人格的結構：

本我（id），是人的本能。包括生存本能和死亡本能，是生物的衝動。屬潛意識範疇，也是人的原始力量的來源。按快感原則，人的一切活動都是要滿足原始欲望。破壞性、侵略性、自殺、強姦、打架，都是死亡本能，不受理性道德的束縛，如聽任發展，社會大亂。

自我（ego），是人格結構的表層，是現實性的本能。嬰兒只有本我，慢慢長成自我，本能始終想到快樂，教育使本能只好接受原則。自我精明能幹，調節本我，本我是被自我管著的。

超我（superego），是指道德化了的自我，高了一層。本我循快樂原則，自我循現實原則，超我循道德原則。本我是「要不要」，自我是「能不能」，超我是「該不該」。

有了超我，我們才和動物有了區別——動物多是本我，及一部分自我。（笑）「義犬救主」的「犬」，有點「超我」。

他說，超我有兩種。一是良心，一是自我理想。良心，是世世代代道德積累沉澱下來，幾乎成本能；自我理想，是我要成為怎樣一個人。

夢的解析：

一，夢是一種精神活動。動機往往是尋求滿足的願望。

二，夢是潛意識的自我表現，自我、超我稍稍休息時，本我放出來了——但超我、自我還是看管著，人很少能在夢中真正快樂過、滿足過。天才的潛意識和性欲特別強——天才的自我、超我，也要特別強。

三，夢是極度歪曲的潛意識的表現，如不是，讓潛意識統統放出來，那豈非現實生活還不如夢好？

四，不論好夢、壞夢，對人都是有好處的。夢中美景往往超過現實，如心稱意地做夢遠遠超過現實。

佛洛伊德認為夢與精神病有相似之點，夢、精神病，都是潛意識得不到滿足的現象。

我的結論：意識，是人性的，潛意識，是魔性的。

第61講

影響二十世紀文學的哲學家（二）

意識流　伊底帕斯情結　阿德勒　榮格　威廉·詹姆斯

1992.5.23

吳爾芙夫人……我看他們從非意識流轉向意識流，又從意識流轉向非意識流，總覺得他們很狼狽。
平心而論，意識流，宜寫短篇小說，更宜寫散文。

最強烈的愛必含性欲，但最高貴的愛完全不涉性欲。古代「朋友」間的義氣，雖死不辭，佛洛伊德該如何解釋？

佛洛伊德學説，運用到藝術上來，是有點顯著效果。而榮格的學説比較合小布爾喬亞胃口，對藝術家就大大不夠了。

佛洛伊德的文藝觀

佛洛伊德認為人的精神機制和人格結構，可分意識、前意識、潛意識——而最大的活力，是潛意識和性本能。「夢是願望的達成」，這種願望和潛意識相關。「精神病是潛意識受到壓抑所致」——潛意識和性本能，也是文學藝術創作的原動力。

佛洛伊德說：「所有夢都是以個人為中心的。」很對。在夢裡也沒有附庸於別人的事。現實生活中大不如此。現實生活中以自己為中心的情形是極少的。為什麼？

不必求解答。作為一個有趣的現象即可。

他認為，文學藝術就是白日做夢。

現代派作家尤其著重自我，經常描寫人的性本能，發掘人性的奧秘，喜寫夢魘、幻覺、意識流、暗示、象徵、自由聯想。例如喬伊斯的《尤利西斯》（*Ulysses*）寫性本能和變態心理，其中寫女主角半睡半醒，歷四十頁，沒有標點。

試舉一例：

一刻鐘以後在這個早得很的時刻中國人應該起身梳理他們的髮辮了很快修女們又該打起早禱的鐘聲來了她們倒不會有人打擾她們的睡眠除了一二個晚間還做禱告的古怪牧師以外隔壁那個鬧鐘雞一叫就會大鬧起來……。

現代派就是裝瘋賣傻，讓那些比他們更瘋更傻的人叫好。做愛高潮可以維持兩天？我不相信。

女人穿裙子，那裙子兩里長，又怎樣？

法國普魯斯特是意識流，他的《追憶似水年華》，原文約一百五十萬字，全是主人公一圈套一圈的記憶，被認為是意識流的開山作。

意識流，僅僅是一種寫作法（我認為），不是新發明，不能拿這個來反對二十世紀以前的非意識流小說。

二十世紀意識流的幾位代表作家，我認為沒有一個達到成熟完美。

意識流是個間歇的現象，不能擴大為整個人生。

意識流說到頭是弄巧，所以很容易成拙。

人主要還是以意識構成的。喬伊斯、吳爾芙夫人……我看他們從非意識流轉向意識流，又從意識流轉向非意識流，總覺得他們很狼狽。

平心而論，意識流，宜寫短篇小說，更宜寫散文。

《追憶似水年華》的引子〈睡眠與記憶〉，就寫得好極了。吳爾芙夫人〈自己的房間〉，也是很好的散文。

現代派小說一上來就嘲罵前輩的文學「不真實」、「不自然」。一百年過去了，現代派小說水落石出，相比前輩，他們更不真實、不自然。

所謂真實、自然，是達不到的，文學，最多只能弄到接近真實，近乎自然。

我有個小小的野心：看看誰用得更素淨、大家氣、樸素自然。

近代諸小說都脫不開佛洛伊德影響。什麼是佛洛伊德的文藝觀？文藝，是人的本能衝動的淨化和昇華。他舉兩例，先是希臘悲劇家索發克里斯的代表作《伊底帕斯王》，後是《哈姆雷特》——完全可以討論。

他說：人在兒童時代，第一個性衝動對象是母親，因此恨父親；弒父，是童年願望的達成；而引起共鳴，是因為我們也有同樣的情結。佛洛伊德此說為著名的「伊底帕斯情結」。

哈姆雷特能做種種事，卻對弒父娶母的王無可奈何，因他內心也想弒父。佛洛伊德說哈姆雷特比叔叔好不了多少。

佛洛伊德又說，所有女孩都戀父，恨母。

這兩例，我以為舉得很壞。說嚴重一點，是誣陷了兩位文學人物。

《伊底帕斯王》劇主角明明不知道他殺的是父親，該劇所強調的是希臘悲劇的主題「命運」。《哈姆雷特》的一個主題，是思維太發達、行為太軟弱，To be or not to be。

佛洛伊德有兩重錯誤：一，為說明他的理論，強拉文學名著附會；二，他對兩文學主角的想法，是卑污的。

可是世上小人多，佛洛伊德的學說大為流行。二十世紀實在是個平民的惡俗的世紀，誰把神聖偉大的東西拉下去，搞臭，大家就鼓掌。

戀母、戀父，是有的。但不倫之愛與情欲之愛，畢竟不同的。一切愛都以性欲為基礎，也不對。人類有很多種感情，兒子愛母親，是一種孺慕，大人對小孩的愛，是慈愛。

當然，最強烈的愛必含性欲，但最高貴的愛完全不涉性欲。古代「朋友」間的義氣，雖死不辭，佛洛伊德該如何解釋？

做學術探討，還得順著佛洛伊德說討論下去。佛洛伊德藝術是「本能宣洩說」，這是大家可以同意的。也可說是「苦悶的象徵」。司馬遷也有類似說。

佛洛伊德之藝術是白日夢，對嗎？對，也不對。

我們平時不能滿足的，在夢裡哪裡能得到滿足——可能中國人還不如外國人吧？我說，我們在現實中不能滿足的，在夢中未必能得到滿足。在生活中可以用智慧等等解決許多問題，而在夢中卻往往愚蠢。

我更同意梵樂希的說法：藝術和夢正相反。

我以為人生和夢都是不可停留的，因此人生之虛空和夢是一樣。生活中的官能感覺，比夢中強得多了。夢裡比較不靈敏，生活中比較靈敏。夢裡的我是膽小自卑，沒有主見的。

以上，我以為。

佛洛伊德說：一切藝術以自我為中心。

這也不是新說。人的一切活動都以自我為中心，區別是：有間接的，有直接的。王自我中心，太監非自我中心。但太監得王寵，事王，最後是間接的利我。在家裡，太監是自我中心的。

直接的自我中心是目的，間接的自我中心是手段。

文藝家在作品中表現自我，是理所當然的，在於表現方法千差萬別。「自我中心說」，佛洛伊德無什創見。

佛洛伊德說藝術家與神經病相差無幾。可是神經病走的是不歸路，藝術家是要回到現實的。

我以為藝術家和神經病不同。現實主義的藝術家，比一般人更參透現實。而一個藝術家如果瘋了，不可能創造樂曲、文章。

西方的求知精神令人驚歎，也令人討厭。他們好像偵探，一刻不停盯著你。

佛洛伊德想摸藝術家的老底，說要追蹤到藝術家的童年——童年時好遊戲，百般設法遊戲，得到快樂。藝術家的創作也如此，只是比小孩更認真云云。

這太大題小做了。

小孩玩耍，如酒神，玩過就玩過了。而藝術家是精神性的，偉大的。小孩都玩，將來有幾個成為藝術家？大藝術家？

兒童時代的苦惱，長大以後找到象徵了，就成藝術家。

我以為佛洛伊德是生物的心理學派。「不幸的童年可以造就作家」（海明威語）是屬人文的心理學派。

我們自己來做，不必麻煩佛洛伊德這樣的專業心理學家。

佛洛伊德把幻想分兩類，野性的、性欲的，不滿足，即發生精神官能症。

我不以為然。藝術家的幻想，就是幻想，是精神活動，不是欲求。藝術家幸福滿足時，也幻想。

佛洛伊德太平民氣。

阿德勒——個體心理學

阿爾弗雷德·阿德勒（Alfred Adler，一八七〇—一九三七），奧地利精神病學家，佛洛伊德的信徒，後建立自己的學說，稱「個體心理學」。

其說分三點：一，人格的整體性統一，不主張把人分割成本我、自我、超我；二，統一的人格以及各種精神活動，都有明確的目標，因此人才能和社會環境相適應。這精神目標，是要取得「優越」，人把取得「優越」作為總目標。這有點道理的；三，人對「優越性」的渴望，是因為人有自卑感。自卑感發源於兒童時期（因幼小，無知，要靠人生存長大），這種自卑的補償作用就是對優越的渴望。如渴望擁有支配權、富有等等。

兒童愈自卑，愈不如意，志向、渴望愈大，追求愈忠實。

後來，他修正這觀點，把個人優越目的改成社會奮鬥。這改得不必要；個人優越和社會奮鬥不矛盾。

他說，每個人都想擺脫自卑感，獲得優越感，自卑感太甚，就發神經病。

作為佛洛伊德的補充，阿德勒的學說很好。

榮格——分析心理學

卡爾．古斯塔夫．榮格（Carl Gustav Jung，一八七五—一九六一），瑞士的精神病學家，發展修正佛洛伊德說，建立了「分析心理學」。

他也認為人有潛意識，但不將之看成全是性衝動和犯罪欲。他在佛洛伊德說的「自我」之外，加出一個「自身」（Self）的概念，自我包括在自身之中。自我是我的意識的主體，自身是我的總體的主體。

人與人之間差別很多，大致有兩種基本傾向，成為定勢：一個定勢指向人的內部世界，一個指向人的外部世界，內傾、外傾也。

基本正確。但構成人的不可能全是內傾或外傾，一時內，一時外，思想、知識、經驗，會改變人的傾向性。

希臘羅馬的大演說家，有的私下非常怕羞木訥的。

這是我對榮格的一點補充。另一補充，是兩種傾向的人彼此有吸引力——性格豐富的人，到處有吸引力。

他又肯定心理機能共四種：思維、情感、感覺、直覺。然後再把內傾、外傾與上述四種心理相結合，分成八種類型：如內傾思維型、直覺型、情感型、感覺型，又如外傾思維型、情感型、感覺型、直覺型。如男性多外傾思維型，女性多內傾情感型。政客、商人之類，多外傾直覺型，藝術家多內傾直覺型等等。

榮格生在現代，現代心理學多以他的理論為說，故名氣很大。佛洛伊德學說，運用到藝術上來，是有點顯著效果。而榮格的學說比較合小布爾喬亞胃口，對藝術家就大大不夠了。藝術家分類，像抽屜，把人物從不同抽屜裡拿出來——但是要分析人物，不要分析抽屜。

詹姆斯——機能主義心理學

威廉·詹姆斯（William James，一八四二—一九一〇），美國著名心理學家，稱「機能主義心理學」。也是美國實用主義哲學的奠基人之一。

有必要講講「實用主義」。美國建國方針、生活形態，全是實用主義立足點，世界也都在美國這個強大的翅膀下。

也稱唯用主義、實際主義。「實踐上有效果，即真理。」

美國的皮爾斯（Charles Sanders Peirce，一八三九—一九一四）、杜威（John Dewey，一八五九—一九五二），英國的席勒（F. C. S. Schiller，一八六四—一九三七），都是實用主義哲學家。他們共同的觀點，認為真理是相對的、變動的，凡適合時代環境者，即真理。從前的「真理」說，是至高無上的，絕對的、永恆的、客觀的。

實用主義其實取消了真理，是平民哲學、商人哲學、市儈哲學。

機能派心理學，也即實用主義哲學之一支。「存在即有用。」

一，詹姆斯（William James，一八四二—一九一〇）認為心理學屬於自然科學範疇，是關於心理活動的現象及其條件的科學。

二，作為心理學研究的意識，不是可以判斷的，而是像鎖鏈、列車、河流，談到意識，只能說意識流。他說：意識總是對它的對象的某些部分發生興趣，而把其他部分加以排斥（通俗解：意識選擇它的對象）。近於文學說法。

三，提出三種研究心理學的方法：A，內省法，觀察自身報告所發現者；B，實驗法；C，比較法。

四，三種論：A，本能論；B，習慣論；C，情緒論。

本能是衝動，它與習慣的關係是：絕大多數的本能是為了引起習慣的緣故才被賦予的。凡是有天賦傾向的習慣，可謂本能。情緒不是客觀世界引起的，而是身體內部的變化和表情引起的——我們悲傷，是因為我們哭了；我們發怒，是因為我們打人了；我們怕，是因為發抖了。

我以為更好的說法是，我們悲傷，是因為哭，因為哭，我們更悲傷。

他們，心理學家們，是把魚拿到桌上來觀察。我們，藝術家，是從水中觀察。

論情操，藝術家宗教情操最高，論哲學思考，藝術家思考得最深，論心理分析，藝術家的心理分析最透。

威廉·詹姆斯，美國實用主義奠基人之一。主張「存在即有用」。

第62講

象徵主義

尼采　超人　權力意志　《惡之華》

1992.6.6

要解放自己，叔本華、尼采、柏格森、佛洛伊德，是對症下藥的，吃下去有好處。
作為一個現代人，如果忽視尼采，不會有什麼價值。

我有意識地寫只給看、不給讀、不給唱的詩。看詩時，心中自有音韻，切不可讀出聲。詩人加冕之夜，很寂靜。
讀詩時，心中有似音樂非音樂的湧動，即可。

象徵主義是小兒子，認為現實主義太迂，浪漫主義太傻，但他們從弄權出發，又回到宗教，算什麼？

從學術研究角度看尼采

講十九世紀時，已講過，粗講，現在細講。因為現代派文學的源頭，都從象徵主義來。

大家想聽尼采，先講一段尼采。上次講叔本華、尼采、柏格森、佛洛伊德四位，我把叔本華、尼采歸為貴族，柏格森、佛洛伊德為平民。

愛因斯坦書房牆上，一直掛著尼采的肖像——一個物理學家，家裡掛著悲觀主義者的肖像，心明眼亮。

馬列主義、唯物主義，剛愎自用。那點東西，悲觀不起。要解放自己，叔本華、尼采、柏格森、佛洛伊德，是對症下藥的，吃下去有好處。

作為一個現代人，如果忽視尼采，不會有什麼價值。

我來美國最大的快事，是當今優秀的思想家、作家、藝術家，都從尼采那裡來——博爾赫斯、阿多諾（Theodor W. Adorno）、昆德拉、安瑟·基佛（Anselm

Kiefer，畫家）等等。

然而尼采很難講。

從學術研究角度看尼采：悲劇起源、酒神精神、日神精神、上帝死了、「人樣的、太人樣的」——就是這些東西。曾是我少年時的蔭福，也是靠這東西一步步自立起來——但後來我對這些論點愈來愈淡化。

「悲劇」起源，還是希臘人的，他們不說而已。

「酒神精神」也是希臘人的，但希臘人對酒神和阿波羅神，是平衡的。尼采強調而已。如用酒神精神原則構成國家民族人文系統，當然好——但屬於理想主義，絕對不可能的。酒神精神是少數天才的事。

「人樣的、太人樣的」——很簡單，現在人類是太不像人樣了。人類這概念都快沒有了——先是人類人類了……人類太人類了……現在是人類太不人類。尼采希望人類超越自己，照中國人說法，人類世風日下，今不如昔。

尼采預言「超人」會降生——這是一場夢。還屬於進化論。我以為超人不會誕生的。個別藝術家作為超人，早就誕生了——早就死亡了。他們不會造福人類，和人類不相干的。

再拆一個尼采的西洋鏡——權力意志。這是對自由意志的反抗。沒有權力意志的。所謂自由意志，就是宇宙的無情。人類在對宇宙的抗爭中，一上來就失敗，是有情人對無情人的對話。說到底，自由意志（宇宙）不可抗拒。所謂權力意志，只是說到無話可說、硬要說下去的話。

「上帝死了」——不過和「唯心唯物出言不遜」一樣。上帝活過嗎？

尼采作為哲學家，如上。我以為他的價值，在於他作為思想家：他的警句、散文、雜感——要這樣去讀他。

我的思想系統、人生觀在哪裡？你們在我書裡是找不到的。我知道，去弄那些東西是要上當的。我與尼采的關係，像莊周與蝴蝶的關係。他是我精神上的情人。現在這情人老了。正好五十年。

許多人說話不誠懇，尼采誠懇。

他瘋了。本可再寫十年二十年。他唱的是「宣敘調」——這是宿命的，有些口號，只能由宣敘調唱。他不是哲學家，他不知道。他是思想家。我們只能做一個善於思想的藝術家。不善思想的藝術家，將那點思想害了藝術。

木心書房裡的尼采像。木心：「我以為他的價值，在於他作為思想家：他的警句、散文、雜感——要這樣去讀他。」

尼采的《瞧！這個人》（*Ecce Home*），其實已經瘋了。凡應由自己說的讓人說了去，是傻子；凡應由別人說的自己來說，是瘋子。

「瞧！這個人」這句話，只能講耶穌，耶穌這個鏡頭不能搶，只能一次。只有耶穌能講「成了」——尼采是「瘋了」。我們呢？「完了」。

象徵主義時期

「象徵主義」（Symbolism）是近百年來西方現代文學影響最廣、波及面最大的潮流。可分前期與後期的象徵主義。

這個稱謂最早出現在一八八六年。九月十八日，長住法國的希臘詩人讓·莫雷亞斯（Jean Moréas）在《費加洛報》（*Le Figaro*）發表〈象徵主義宣言〉（Le Symbolisme），主張用「象徵主義」這個詞形容當時的新文學。這個詞，他以希臘文Symbolon出之。希臘文中，Symbolon原指木板或陶器分成兩半，友人各取一半，重逢後出示，表示信物。幾經演繹，這個詞被定義為「凡表達某種概念的，即象徵」，和「比喻」不同。

法國詩人勒內．吉爾（René Ghil）出版《言詞研究》（Traité du Verbe）一書，馬拉美作了序言，試圖系統肯定波特萊爾詩中出現的新傾向、新成就，用了「象徵主義」一詞。

波特萊爾的《惡之華》，被公認為象徵主義開山之作。

前期象徵主義可分三階段：

第一期在波特萊爾之前，可稱為萌芽期。法國詩人貝爾特朗（Aloysius Bertrand）、奈瓦爾（Gérard de Nerval）、洛特雷阿蒙（Comte de Lautréamont），加上美國詩人愛倫坡，均為代表。他們的詩和詩論，對波特萊爾及此後詩人有影響，但還不能稱為象徵主義。

第二期是波特萊爾時期。他是鼻祖，這期可稱為先鋒期。

第三期是韓波、魏爾倫、馬拉美。他們是正統的前期象徵主義。前期象徵主義至此出現全面的高潮，淹沒了趨向沒落的頹廢派，也和正在流行的巴納斯派（即高蹈派）相抗衡。

十九世紀末，象徵主義向西歐、北美傳播，出現後象徵主義。當時法國前期象徵主義已沒落，莫雷亞斯離開象徵主義，韓波、馬拉美相繼死亡。後期象徵主義在東方、俄國、亞洲，也蔓延。

這前後兩期，是全西方的文學思潮，可與十九世紀浪漫主義大潮流相比。

象徵主義的藝術特徵

象徵主義的藝術特徵，和現實主義的根本區別，一是外在的，一是內在的。它和浪漫主義大異其趣；浪漫主義直抒，象徵主義隱晦、映射。

象徵主義也反對實證主義和自然主義，重視直觀的認識和藝術的想像作用；反對高蹈派的造型美（黃金、鮮花、大理石），強調音樂性，濃厚的神秘色彩，有獨特的美的定義；衝破傳統詩歌的禁區，擴大詩的題材範圍。

波特萊爾自己說：

整個可見的世界，不過形象和符號的庫藏。這些形象和符號，該由詩人的幻想來給他位置和價值。

也即詩人的幻想力消化改造這些符號形象。

藝術不是模仿，是提煉和創造。

到了梵樂希，無視外在現實，注重內在真實，比波特萊爾更為內心，寫感情和理性、靈魂和肉體、生與死。

到了T．S．艾略特，提出尋找主觀感情、思想的客觀對應物，讓書中人物自己說話，詩人退開。

現在看來，波特萊爾、梵樂希、T．S．艾略特等，都很偏激，要反外在。因為他們要反對浪漫主義、反對現實主義、反對自然主義。

浪漫主義太濫情，現實主義不重靈性，自然主義太重細節——說句公道話，象徵主義確實有話要說，有理可爭，有事可做。這三位詩人有理論，有作品（相貌也都很好），詩人兼批評家的，是他們。

象徵主義反對以孔德（Auguste Comte，法國人，他是研究社會學的祖師，晚年思想趨向神秘）為代表的實證主義，也反對左拉為代表的自然主義。

象徵主義以為現實世界後面隱藏著理念世界；實證主義、自然主義，始終停留在事物表面，不能深入理念世界。

但象徵主義實踐這些理念時——我來通俗地批判一下——一舉一動都要象徵，多麼小家氣。推廣來說，我反對任何主義，一提主義，就是鬧彆扭。《惡之華》是寫得成功，但用狹隘的象徵主義一說，很殺風景。不要搞一個主義，拿這主義去批評人家，然後自己跌進去。

詩人、批評家不好兼，容易自設陷阱。自具批評精神，詩寫得更精彩，就好了。

說教者，誇張虛情假意，重視模仿，一遇到象徵主義，就遇到大敵。自然風景、人的活動，都不會出現在象徵主義作品中。他們要使意念有摸得到的形狀，但形狀屬於從屬地位，只是可感知而已，表明與意念有相似性。

俄國勃留索夫說：象徵主義用語義深刻的手法來表現。

這些說法都可以認同，但拿來做信條，兢兢死守，反自絕生機。凡標榜鮮明、教條分明的主義，完得特別快、特別慘。

他們明白日常生活中膚淺的感受，他們並不要求讀者理解，他們說些什麼，要似懂非懂，略有了悟——我們現在看，一目了然，我看太孩子氣——女孩子氣

——是高明的文藝腔，有了腔，文藝也不會太高明。

馬拉美的一套，後來到喬伊斯就太過分。

後來，詩人想從音樂裡回收他們的財產——音樂是聽的，文學是看的，我以為兩回事。詩近於歌，是詩的童稚往事，詩之求韻，和音樂比，小兒科。歌與詩靠得愈近，愈年輕。音樂，根本沒有詩之所謂「平上去入」，音樂上的長調短調和文學上的用法大不一樣。

音樂是有聲的詩，詩有音樂感，可以做做，音樂與詩，可以神交，不可「性交」。

浪漫主義時期，音樂家追求詩意，音樂詩、標題音樂等等。象徵主義時期，詩人反過來追求音樂性，面子也不要了。到了後期，更強調音樂性，T·S·艾略特的詩出現「四重奏」的格式，詩人真是忘了本。希臘諸神，管音樂和詩的神是分開的。

音樂、詩，兩邊都要保持自尊。

歌詞，合音樂可以，當詩念，不行。可以當眾朗誦的詩，是粗坯。文字不是讀、唱給人聽的，文字就是給人看的。

我有意識地寫只給看、不給讀、不給唱的詩。看詩時，心中自有音韻，切不可讀出聲。詩人加冕之夜，很寂靜。

讀詩時，心中有似音樂非音樂的湧動，即可。

（休息）念自撰對子兩幅，頗好笑，惜未記。

象徵主義的主旨和本質

波特萊爾認為，美是這麼一種東西：它帶有熱忱、愁思，有點模糊不清，引起人的揣摩測想。

馬拉美認為：高蹈派直接表現對象，等於把詩的樂趣去掉四分之三。象徵主義有神秘性，一點一點把對象暗示出來，用以表現心靈狀態，反之也一樣，先選定對象，經過一系列猜度，把某種心靈狀態表現出來。

我們看馬拉美《牧神的午後》（*L'après-midi d'un faune*），寫牧神「潘」似睡非睡，進行著和仙女們若有若無的交歡，環境朦朧，認為美是無法捉摸的。德布西也以音樂寫過同一題材，比馬拉美成功。

對照之下，文字，是宿命要入言詮。

馬拉美為了營造氣氛，寫得很累，德布西寫得很流暢。文字不要去模仿音樂。文字至多是快跑、慢跑、縱跳、緩步、凝止，音樂是飛翔的。但音樂沒有兩隻腳，停不下來——一停就死。

後期象徵主義，簡單說，就是詩人們不再以朦朧為能事，而是想表現超人類。梅特林克說：

> 人生的真正意義，不在我所感知的世界裡，而在於目不能見、耳不能聞、超乎感覺之外的神秘之國中。

葉慈晚年一心沉入宗教。

以前我充滿渴望，以為象徵主義會產生什麼奇蹟，可讀到他們的代表作，致命地失望——反覆讀，反覆失望——象徵主義到這個時候象徵不動了。他們要追求真善美，追求不到，硬把善和美分開。

韓波說：

有一天，我把「美」放到膝蓋上，她使我感到痛苦，我於是凌辱了她。

當然，波特萊爾、韓波，都曾經出於對舊世界、舊道德的反叛，作驚人語，但在行為上，在生活中，已經有惡的傾向，接受惡的誘惑。人類惱羞成怒。

馬拉美一輩子做中學老師。追求純藝術。

象徵主義勢力很大，現代、後現代都從那裡來。

浪漫主義，畢竟是古典主義的浪子。

我以為，文學上現實主義成就最大。當然，歐洲人出身古典主義，但沒有逃出，而是把老家翻新了（自然主義等都屬於現實主義）。

象徵主義是小兒子，認為現實主義太迂，浪漫主義太傻，但他們從弄權出發，又回到宗教，算什麼？

此後種種主義，都是自己標榜的。只有兩個主義不是自己標榜的，而是後人稱呼的：古典主義、現實主義——莎士比亞、托爾斯泰、哈代、杜思妥也夫斯基、巴爾札克。這些人沒有提出、標榜什麼主義。

心中有個象徵主義的「數」，對答就能如流，而且看到什麼新潮流，足夠應付。

Symbol，是木板、陶器。我們下凡，人人都分到上帝給的這塊板，卻失落了——怎麼辦呢，自己造那塊板，然後找上帝手中那塊板。很難，但可以找找。

第63講

意識流

心理時間論　真實論　有機體論　敘述角度論　主觀真實論

1992.6.21

意識流是不是個新發明？十九世紀前沒人用過嗎？
意識流的遠祖，就是內心分析和個人獨白。它有它的老祖宗。從喬叟到托爾斯泰，就有。

柏格森認為，理論科學都無法把握實在，唯直覺和非理性的內心經驗才能夠；理性認識事物的外表，直覺認識事物的內核。直覺，要借助於天才。

現代作家，自己應該又是伯樂，又是千里馬。伯樂是意識，潛意識是千里馬。一個偉大的小說家應是潛意識特別旺盛、豐富，而意識又特別高超、精密，他是伯樂騎在千里馬上。

何謂意識流？意識流大家

講意識流小說，先解釋「意識流」是什麼意思：

繼象徵主義以後，十九世紀末、二十世紀初興起的一個重要的文學流派，盛行於二十世紀二十到四十年代，二十年中遍及歐美各國，對二次大戰後許多文學現代派都有影響，到現在還有影響。

誰第一個用意識流手法？不可查考。查考出來也沒有意義。這是一種時代的藝術風氣，不少藝術家不自覺、半自覺地用這種手法。

當然，叔本華、柏格森、佛洛伊德的哲學起了啟迪作用。

象徵主義通向意識流，順理成章，很適宜作為意識流的一個起點。象徵主義到後期，注重心理分析，一重心理分析，自然就通向意識流。

意識流出現在象徵主義之前，不可思議，之後，就顯得非常自然。不過前幾派都有信條、綱領、宣言，意識流是默默地流。

普魯斯特、喬伊斯、吳爾芙夫人，都是意識流小說的傑出代表。以前講的浪漫主義、象徵主義，都有點硬來，信條、綱領、宣言，都用上。意識流不結盟、不標榜，發展得很自然、很健全，大家一聲不響地寫。

上來三個人，三個都是大師，成就可觀，在世界範圍悄悄形成氣候，同時，他們自己開花，自己結果。作品寫成後，才提出理論。現在看，要談意識流小說，還是普魯斯特、喬伊斯、吳爾芙夫人。

意識流，是從心理學的術語借過來的，是美國實用主義哲學家威廉·詹姆斯在《論內省心理學所忽略的幾個問題》一書中，第一次提出「意識流」（Stream of Consciousness）這個說法，後又在另一本書中重提。他說：

意識流並非片段的連接，而是流動的，用一條河來比喻意識的流動，是最適合了。

意識既是流動的，你可以去注意其中你有興趣的，挑出來，構成你自己的世界。

所謂客觀的，不以人的意志為轉移的那種東西是不存在的。每個人認為是「事物」的東西，是從意識中隨便劃分出來的。

後來，柏格森提出「心理時間論」。他認為我們平常所認為的時間，是依時刻秩序延伸，是寬度、長度，是數量概念，而「心理時間則是各個時間相互滲透，表示了時間的強度是個質的概念，我們愈深入意識的概念，這心理時間的概念愈強」。

他還強調：「真實」，存在於人們意識不可分割的波動之中。他勸告作家深入人的意識，隨著心理波動去把握真實。

詹姆斯提出的意識流，佛洛伊德予以肯定，又補充：「意識流由下意識決定的，下意識的核心是性。」

這成為歐洲的狂熱的討論。

勞倫斯說：「意識流是詹姆斯不朽的表達方法。」

心理學家和作家對話了。在寫作上的具體方法，就是寫「心理時間」。

意識流小說的理論基礎很雄厚。最重要的是，意識流小說一上來就出了大師。

當時普魯斯特已發表《追憶似水年華》，大轟動。接著，電影、戲劇、詩歌，都形成意識流手法。

四個代表人物：法國的普魯斯特、愛爾蘭的喬伊斯、英國的吳爾芙夫人、美國的福克納。作為流派，存在二十年。

我個人的經驗：開始學寫，無頭緒，後來，幾天，就通了。一九五九年國慶十周年時，我在家自己寫意識流的東西。不用在小說上，用散文。

普魯斯特〈睡眠與記憶〉，吳爾芙夫人〈自己的房間〉，寫得好極了，就是散文。

意識流是不是個新發明？十九世紀前沒人用過嗎？

意識流的遠祖，就是內心分析和個人獨白。它有它的老祖宗。從喬叟到托爾

喬伊斯，意識流的四個代表人物之一。

斯泰，就有。喬叟《坎特伯雷故事集》（*The Canterbury Tales*）中寫過一個〈巴斯婦人的獨白〉（The Wife of Bath）。莎士比亞寫過《馬克白》中的獨白。斯湯達爾寫過獨白與對話的比較。托爾斯泰寫安娜自殺前的內心獨白。

所以意識流是水到渠成，不出意識流也不可能。

杜思妥也夫斯基，遠遠高過意識流諸家的成就。他是抗拒模仿的。毛毛糙糙，厲害，學不了。

亨利．詹姆斯的意識流創作三論

意識流的哲學背景：

這類哲學家分佈於法、英、美。譬如英國的洛克（John Locke，一六三二—一七〇四）、貝克萊（George Berkeley，一六八五—一七五三）、休謨，屬經驗主義哲學，影響了吳爾芙夫人。整體來說，柏格森學說的影響最大。柏格森認為，理論科學都無法把握實在，唯直覺和非理性的內心經驗才能

福克納，受到亨利．詹姆斯意識流小說方法的影響。意識流小說的四個代表人物之一。

木心書房裡的吳爾芙夫人照片。吳爾芙，意識流小說的四個代表人物之一。

夠；理性認識事物的外表，直覺認識事物的內核。直覺，要借助於天才。

普魯斯特中學時就研究柏格森的哲學。《追憶似水年華》的觀點與柏格森哲學一致。

到了亨利．詹姆斯，第一個提出意識流小說方法，被認為是意識流創作理論的先驅。他有三個論點：真實論、有機整體論、敘述角度論。

亨利．詹姆斯直接影響到喬伊斯、吳爾芙夫人、福克納。吳爾芙夫人的《海浪》（*The Waves*），以六個人物的不同視角，用內心獨白，斷續勾勒出彼此從兒時到暮年的一生。福克納寫《喧嘩與騷動》（*The Sound and the Fury*），以三個人物的觀點講述同一個故事。

亨利．詹姆斯有文章《論小說的藝術》（*The Art of Fiction*, 1884），把「真實感」列為最重要的追求目標，說如果小說沒有真實性，其他優點等於零。

真實必然有無數形式，小說究竟應該寫何種形式？他先指責傳統小說結構破壞了真實感，反對舊小說的程式化、因循。他說：

> 藝術的領域，是全部生活，全部感覺，所以藝術是全部經驗。

我以為不然。藝術不可能全範圍地表現生活。他說的還是反映論。但他畢竟是小說家，他還說：

經驗是各種印象構成的，所以印象就是經驗。

印象首先構成小說的價值，印象的深淺決定小說的強弱。

一個心理上的原因，在我想像中是個畫意盎然的東西，這可使你去從事一種提香式的努力。

康拉德稱亨利．詹姆斯是「一個描寫優美良知的史學家」。

關於「有機整體論」：

亨利．詹姆斯認為小說是獨立自足的有機結構，和社會、歷史、作者本人不相干。其中的思想感情，是素材進入作品被藝術化、形式化之後的結果，已不是藝術家原來的思想感情，已自在，以連續不斷的整體發生自己的作用。

他要求小說作者充實小說內在規律，不要以主觀的因循的觀念干擾作品。

大致可以。但我也有意見。中國有許多小說創作是以主觀公式破壞了小說，是負面效果。他太強調了小說的本體性，小說好像是妖魔、狐狸精，好像小說高於小說家。

對小說家和小說愛好者，這一說，還是太粗淺。

小說與作者的關係，正可用上意識和潛意識的說法。提筆之前，是意識為主，下筆後，潛意識慢慢起作用，活動起來。我認為在這過程中，還是意識駕馭潛意識。現代作家的意識很強，能以之擒縱潛意識。現代作家，自己應該又是伯樂，又是千里馬。伯樂是意識，潛意識是千里馬。一個偉大的小說家應是潛意識特別旺盛、豐富，而意識又特別高超、精密，他是伯樂騎在千里馬上。

托爾斯泰長篇《戰爭與和平》曾有七稿之多，放縱潛意識跑馬，最後仍以意識控制定稿。

夢和藝術是兩回事。瘋子和藝術家是兩種人。

夢是散亂的、不自覺的，藝術是完整的、自覺的。瘋子是破壞的，天才是創造的。藝術家的意識及潛意識要特別平衡。

意識要加強，增加知識、經歷、邏輯，善於推理，訓練記憶——如何訓練潛意識？

擴大興趣範圍，「智者，是對一切都發生驚奇的人」。放縱你的好奇的行為，享受官能之樂，對一切要抱著豁達大度，對世界萬物抱著「無可無不可」的態度，都有興趣，但別迷戀。

一句話：明哲而癡心。

再一句話：癡心而保持明哲。

還有一張底牌：意識是神性的，潛意識是魔性的，兩者相加，即人性。

尼采瘋狂，就是一個沒有喝過酒的酒神。

我好藝術，曾輕視科學，但後來想到現代文明、文化，科學、藝術各為一翅，不能缺一，所以花了十多年功夫補天文、物理科學等事。

感謝前輩的愚蠢給我留下許多處女地。前人的愚蠢，是後人的聰明。

音樂、繪畫是自己創造語言，文字呢，本身就是語言。所以文學弄得不好，就是一個疤，一個疤。

關於「敘述角度論」：

亨利．詹姆斯說：過去的一切小說採用的是全知角度，對小說中人物活動全都瞭如指掌，全知全覺。但在真實生活中，我們從不可能全知全覺。如果放棄這一套，用一個敘述者的角度，往往更真實；或借書中人物的角度，去度其他人物。

我認為傳統小說取全知角度，果然是個缺點，但不致命，還看寫得好不好。藝術本來就不同於真實，全知角度寫得不好，就是蹩腳的偵探，失敗的媒婆。亨利．詹姆斯的「敘述角度論」，使小說家明智。我愛用第一人稱，就不是全知角度，我用回憶錄體寫小說。

但全知角度不能全部放棄。要用得好，寫大場面、戰爭，還是得用全知角度。

以上亨利．詹姆斯三論，不失為現代小說的知人之明和自知之明，批判了傳統，開創了現代。

普魯斯特的論點

以下講普魯斯特的論點（他們好在小說寫出後才提論點）：他提出「主觀真實論」，把現實分為兩類型：

一，簡單的、表面的、同一的、客觀的。

二，複雜的、內在的、特殊的、主觀的。

如一個餐廳、一個花園，對大家來說都是一樣的，外表的、客觀的。又如一件事，各人的印象、各人感受不同。在普魯斯特看來，第二類的現實才是基本的，真實的。進一步說，這主觀真實原本存在於每個人身上，作家不是將之創造，而是翻譯出來。

作家的功能、職責，是充當這麼一個翻譯家。

我認為「簡單的真實」是無意的、無機的存在；複雜的真實是有意的、有機的、有情的存在。

作家不僅是主觀的、自己的翻譯家，還是得創作。作家有個文字關。一切符號都是不真實的，文字是符號中的符號。但藝術不是為了「真實」——頂多只是追求一點「真實感」，用這點「感」來輔助美感。人的天性喜歡美，因為美代表永恆。

普魯斯特糾纏在真實或不真實、外觀或內觀，但這裡有個前提：「真實」不可能，「真實感」可能。

夢中做愛，真實感不夠，要真的做——比較真實，目的是輔助美感。人天性要永恆。冰雕，要化的；石雕、銅雕，永恆了——可還是要毀滅的。

普魯斯特的時間觀念：

他認為，人在空間裡占的位置是有限的，但在時間中的位置卻是無限的。從前的、記憶中的印象永在，和現在的時間可以重疊。

當時這觀點很新，現在是老生常談（時間、空間，給臺灣文學講臭了，臺灣的空間，就是一個島，臺灣的時間，就是沒有唐、宋、元、明、清）。

我這樣分：感覺上的時間、感覺上的空間。

記憶中的事物，有當時的時間性，但還是屬於記憶的範疇，不是時間的範疇。

由於普魯斯特對時間的解釋有偏執，所以小說中許多篇章彆扭。他們的小說不是矯枉過正，而是矯正過枉，是算盡機關太聰明，反誤了小說性命，寫得太苦，讀得太苦，雙重何苦。

喬伊斯還寫美學論。他說：

正當的藝術應該導致心靈的靜止。

美感情緒是靜止的，它抓住人的心靈，高居於欲望和厭惡之上。

藝術家把自己非人化了。

藝術中的非個人化、非人格化——他反對主觀人格，避免其介入小說。這在福樓拜已做到了。這說法如針對浪漫主義——說得好。但喬治·桑對福樓拜說：

普魯斯特，意識流小說大師。

「你隱藏著你的心，可你心裡的愛、厭惡，誰讀不出來？」

喬伊斯說：「流亡，就是我的美學。」

這句話，我在一篇短文中寫道：

「『流亡，這是我的美學』，我不如喬伊斯闊氣。我說，美學，是我的流亡。」

第64講

未來主義

馬里內蒂　帕拉澤斯基　帕皮尼　雅各布　勒達迪

1992.10.4

談主義，是一種現代病。試看古人，從雅典到文藝復興，都不標榜主義。因為主義總是一種偏見，甚至是強詞奪理，終歸是自我擴張，排斥異己。

馬里內蒂他們歌頌機械文明，進取性的運動，歌頌速度，描寫大都市，朝拜都市文明，盲目歌頌戰爭，從都市和戰爭中發現美：機械美、速度美。

阿波利奈爾的評論也很獨到，畢卡索、布拉克皆受其惠。他是點燃了自己的火，燒了別人的飯。這是我的評價。那麼糟糕的未來主義理論，在繪畫的立體主義那麼好，那麼成功。

未來主義之起及理論

一個夏天過去了。今天我們講「未來主義」。未來主義在二十世紀文學、藝術中都曾風行一時。產生在哪裡?意大利。強勢,迅速傳到俄國,後來到英法。創始人是意大利詩人、戲劇家,馬里內蒂。一九〇九年二月二十日,他在法國《費加洛報》發表〈未來主義宣言〉(The Futurist Manifesto),那就是未來主義流派誕生的標誌。

一九一〇年,他又發表〈未來主義文學宣言〉,宣揚未來主義文學理論和創作原則。一九一三年,他和帕拉澤斯基合編了一個未來主義文學刊物,叫做《拉切巴》(*Lacerba*),同年,他去俄國宣傳未來主義,促進俄國未來主義發展。

他們做事是這樣做的:真的創立一個主義,發表一個宣言,接著是文學宣言,然後辦雜誌,然後到別國去宣傳——多麼認真。近幾十年,這種現象不見了。這也是個「進化」,他們那時的認真,有點傻的——但現代人不再那麼認真了。

他們還在佛羅倫斯舉行「未來主義晚會」（Futurist Evenings），擴大影響。一九一五年，馬里內蒂和其他人發表了未來主義戲劇宣言。一九一六至一九一八年，馬里內蒂和基蒂創刊《未來主義的意大利》。

從打旗號，到實踐，到出刊，未來主義在世界範圍鬧起來。

看回去，三個感慨：

一，文學藝術最好是各行其是，聽其自然。提特定主張，一夥人合在一起幹，注定要失敗的。凡主義，都是強扭的瓜，不甜，爛得也快。

二，談主義，是一種現代病。試看古人，從雅典到文藝復興，都不標榜主義。因為主義總是一種偏見，甚至是強詞奪理，終歸是自我擴張，排斥異己。

三，正好是這種自我擴張的強詞奪理，注定該主義的局限性，使之無法融會貫通，不能貫通，其機能就弱。凡主義、流派，都不可能繁榮一百年，至多幾十年。

我們有冷靜的餘地，所以平心靜氣談談別人的主義。

排排名單。未來主義代表作家：

意大利：馬里內蒂、帕拉澤斯基、基蒂。

法國：阿波利奈爾。

俄國：馬雅可夫斯基、勃洛克。

意大利是發源地，俄國鬧得很兇，法國，因牽涉到一大批畫家，此派也不可等閒視之。

哪些作品是代表性的？

馬里內蒂《他們來了》（戲劇），基蒂《建築》、《黃與黑》（戲劇），帕拉澤斯基《我是誰》（詩），馬雅可夫斯基《夜》、〈穿褲子的雲〉（詩）。

阿波利奈爾對畫家的影響大：當時畢卡索是個傻瓜，誰也不知，是他捧起來。

理論：提倡文學藝術要著眼未來，要提出和傳統不同的主張。「未來主義是現代精神。」馬里內蒂說。

我又要嘲笑他們了：當時他們的「現代」，就是工業革命大禍臨頭的時代，是我們現在這齣大壞戲的開場，也是現代文明走向不歸路的開場。

他們歌頌機械文明，進取性的運動，歌頌速度，描寫大都市，朝拜都市文明，盲目歌頌戰爭，從都市和戰爭中發現美：機械美、速度美。後來呢，我們親眼看到生態破壞，二次大戰，一句話，人性破滅。機械美？速度美？那是醜的，當時他們不知道。

他們取材，反對客觀模仿現實，要發掘潛意識裡捉摸不定的力量，純抽象、純想像地把握一切。

（念馬雅可夫斯基一段詩。）

窗戶把城市大地獄分割成
一座座的小地獄，吮吸著燈光
汽車像紅髮魔鬼飛揚了起來
狂吼著喇叭，就在耳旁

當時很新。一個鄉巴佬進城的詩。算很聰明了：城市大地獄，窗戶小地獄，汽車像魔鬼，可是，這算什麼詩呢？

主張更新文學語言，反對整個文學傳統。他們認為胡言亂語正是詩。造生字，消滅形容詞、副詞、標點，借助符號音樂表達。俄國人：打倒作為工具的文字，實現自我發揮的文字，烏拉！

這是一個壞孩子的搗蛋，一個生命力旺盛的敗家子。

馬雅可夫斯基的梯形句子，是阿波利奈爾想出來的。這樣可以不可以呢？可以的。但我以為這是小事情，不必大驚小怪，不是什麼新創、開展。

以上云云，是粗枝大葉的。既然把未來主義做講題，手書還得精細一點。下面一個個作家分析。

意大利未來主義雙將及帕皮尼

中心點在意大利，參加者最多，波及也廣。馬里內蒂是頭，其次是帕拉澤斯基，再下是帕皮尼、索菲奇（Ardengo Soffici）、布奇（Anselmo Bucci）。

馬里內蒂（Filippo Tommaso Marinetti，一八七六—一九四四），生於埃及某港的意大利家庭，後隨父母遷居巴黎，受到法國現代文學影響。一八九九年回意大利，學法律。在法國時，他曾在一八九三年發表過象徵主義詩歌，一九〇九年發表〈未來主義宣言〉。

作品語言刻意不合規範，模仿生活中音響和數學符號。短劇《他們來了》，開幕時燈光明亮，左方有門窗，通花園，右方也敞門，靠牆安樂椅，椅兩邊各四把椅。人物是總管，兩個燕尾服僕人。總管說：「他們來了。」「他們倦了。」於是僕人上上下下忙著準備，種種新命令，僕人來回換一次道具餐具，最後總管說一句無意義的話，退下，僕人又將各道具復原，其他道具退回後臺，臺上留下道具椅子之影，完了。

聰明的，有點意思的。這種東西在當時演，很嚇人的，煞有介事。

布萊希特（Bertolt Brecht，一八九八—一九五六）後來就弄得比較心平氣和。

你看，當時他們興興轟轟在弄，同時的紀德照樣平心靜氣寫自己一套。

這是一種貌似深刻的淺薄——他們本質上都屬於極權主義的。馬雅可夫斯基是左的極權，馬里內蒂是右傾極權。果然，他後來發表《未來主義與法西斯主義》，二戰後積極參加法西斯黨活動，為墨索里尼效力。法西斯黨掌權後，馬里

馬里內蒂，於一九〇九年二月發表〈未來主義宣言〉，這就是未來主義流派誕生的標誌。

內蒂出任科學院院士、意大利作家協會主席。

馬里內蒂的理論提出：

擯棄一切舊傳統。

向星辰挑戰（笑），認為除了鬥爭，詩歌就是勇氣、反叛。

未來主義要以運動為核心，速度、音量、能量，機械、技術，宣告一種新的美，速力的美。

戰爭、暴力、恐怖，都是為了破壞傳統，創新。

創造未來的藝術（也是口號）。

休息。木心（笑）：郭沫若有詩說：要把紅旗插遍全宇宙。我聽了，說：你去插！

我們說：「文革」全是這一套。

木心：中國那時是假戲真做，未來主義是真戲假做。不要吃奶油，他是吃飽了來的。中國鬧「文革」，是真的麵包也不許吃。

「群眾的眼睛是雪亮的。」群眾是沒有眼睛的。群眾還沒有記憶。

人類的本能是破壞、毀滅。這是生態現象。你看花，要發芽，要開花，然後萎謝，會爛掉。進化論？沒有進化論的。還有尼采的超人，哪裡來超人？沒有的。

帕拉澤斯基（Aldo Palazzeschi，一八八五—一九七四），詩人、小說家。生於佛羅倫斯商人家庭，當過演員。一九〇五年發表《白馬》（*I cavalli bianchi*），一九〇七年發表詩集《燈》（*Lanterna*）。一九〇九年與馬里內蒂共同創未來主義，同時發表詩〈詩〉（Poemi）、〈縱火犯〉（L'incendiario）。他一洗華麗雕琢的詩風，作品三要素：瘋狂、憂愁、悲哀。

在技術上，他切斷了理性思維的邏輯，製造運動的美，用一系列類比、感應、象聲詞，作為他的新奇立意，往往忽然宕開一筆，造成新的藝術境界。他是意大利詩人中佼佼者，還寫了不少小說。政治上屬中產階級的溫和派，和馬里內蒂有分歧。一九一四年退出未來派。三十年代法西斯主義猖獗一時，他隱居書齋，拒絕與墨索里尼政權往來。這人還不錯，不像馬里內蒂那樣瘋狂。詩一例：

帕拉澤斯基，與馬里內蒂共同創造未來主義。其作品三要素：瘋狂、憂愁、悲哀。

我是誰

我，或許是一名詩人
不，當然不是
我的心靈之筆
僅僅描寫一個字——
「瘋狂」

我，也許是一名畫家
不，也不是
我的心靈的畫布
僅僅反映一種色彩——
「憂愁」

那麼，我是一名音樂家
同樣不是

我的心靈的鍵盤
僅僅演奏一個音符——
「悲哀」
我……究竟是誰
我把一片放大鏡
置於我的心靈前
請世人把它細細的察看
——我的心靈驅使的小丑

現在來評價，其實很差，但正是未來主義一群作家的心聲，這首詩有著時代的象徵。一般評家很重視所謂時代性，把藝術價值看得平淡次要，甚至無視。我是只看藝術，時代不時代，根本不在乎。什麼「劃時代」啦、「時代重鎮」啦，讓人家去講吧。一句話：時代超強的作家，他贏了，只贏了一個時代。對千秋萬代來說，他輸了。

帕皮尼（Giovanni Papini，一八八一—一九五六），詩人、散文家。一生的思想發展三階段：早年實用主義，信仰美國實用主義杜威、威廉·詹姆斯哲學，強調經驗；一戰後，轉向宗教寄託，研究《聖經》，入天主教，寫《耶穌傳》（*Storia di Cristo*）；法西斯主義起，他轉而崇信法西斯，有詩〈我的意大利〉，成官方人士。戰後躲在家中寫書。

完全隨波逐流。從別人的思路轉向別人的思路。那種轉向，無源無基，無因無果。所謂思想，是有異於人的思想，所謂發展，是不成熟到成熟，不是朝秦暮楚。帕皮尼的失敗是可恥的。

一個人要有一個方向。中途可以有種種走法，但方向不能亂變。忽而佛教，忽而天主教，忽而伊斯蘭教。帕皮尼還有另一面，一九〇三年創刊名《李奧納多》（*Leonardo*），成意大利唯美主義陣營。這一面，好壞不知，但有這一面。

這是帕皮尼——跳來跳去的帕皮尼。

基蒂，是意大利未來主義戲劇的代表人物——意大利情況大致如此，我們轉到法國。

帕皮尼，詩人、散文家。思想多變。戰後躲在家中寫書。

法國未來主義三代表

未來主義宣言傳到法國，阿波利奈爾起來響應（他是波蘭人）。他創說「立體未來主義」，發表《未來主義的反傳統》。把繪畫中的立體主義引入文學創作，為了探求更高的現實美，探求第四度空間，把雕塑、繪畫、音樂融在一起，成所謂「繪畫詩」，有圖案，有色彩，有格式（立體），有音響。

他自己有作品，把鴿子放在作品上，意圖反戰。

他還成立「立體詩」，樓梯型的，馬雅可夫斯基接過去，大幹特幹。這種形式，難過死了，走樓梯不是很累嗎。這是什麼作為呢？我以為是下策，是離開文學本體的耍把戲。藝術是在有限中表現無限，詩嘛，大大方方一行行排開來寫。

他們要把鼻子放在額頭上，兩腿放在肩膀上——美嗎？讓他們去美吧。我看阿波利奈爾遇到這樣的情人，不會愛的。

繪畫呢，本來是表達三度空間的，第四度是假想的，性質是說俏皮話，不是物質的。所以可以假想四度空間。文學，是時間性的，是意象性的，所謂空間效果，對文學而言，是意味著的效果，不是實際感受的效果。

下面還要講各種藝術的局限。

他們反對因循守舊，嘲笑古典主義和溫文爾雅。他們又是反資本主義的，認為資本主義貪婪、吝嗇、膽怯、狡猾、吹牛、兇殘、自私、扼殺天才、污染世界。罵罵而已，他們還是在資本主義中生存。

阿波利奈爾（Guillaume Apollinaire，一八八〇—一九一八），私生子，母親是波蘭貴族。生長於法國，當過職員、夥計、保姆。一戰爆發後參軍（已入法國籍），一九一六年重傷，退後方。一九一八年結婚，不久即死，三十八歲。

從事創作時間不長，詩歌、理論的影響卻很廣。詩集有《動物小唱》（*Le bestiaire ou le cortège d'Orphée*）、《醇酒集》（*Alcools*）、《被殺害的詩人》（*Le poète assassiné*）、《美好的文字》。

不用標點符號，說詩的旋律頓挫就是標點。這倒可以，但不要去故意排斥、標榜。偶爾用用標點，也俏皮。文學上藝術上，刻意要這樣、要那樣，最後是害自己的。

不要刻意造作，要放鬆。別死心眼，別找到一個形式就不得了。別的形式、風格，在等著你呢。

他有些警句，還是好的。我給他整理過了，如：人想有第三條腿，輪子因此誕生。

他的評論也很獨到，畢卡索、布拉克（Georges Braque）皆受其惠。

他是點燃了自己的火，燒了別人的飯。這是我的評價。那麼糟糕的未來主義理論，在繪畫的立體主義那麼好，那麼成功。

教訓：各種藝術，各有其領域，所謂各擅勝場，不要搞到你的局限性之外。什麼是你的局限性，要看你的神、智、器、識。中國山水畫的「四王」，知自己的局限，筆筆仿黃大癡，但不知把自己局限中的領域擴大。

馬克斯·雅各布（Max Jacob，一八七六—一九四四），未來主義詩人。猶太人。原想當畫家，識畢卡索。一九〇九年自稱見耶穌顯靈，從此從文。出散文

阿波利奈爾，木心評價：「點燃了自己的火，燒了別人的飯。」

集《海岸》，散文詩集《骰子盒》（*The Dice Box*），小說《顯花植物》、《人生百態》。詩〈中心實驗室〉（Le laboratoire central），此詩據說是立體派中未來主義最強烈的作品。

一九二一年，厭倦城市生活，到海邊茅舍過日子，邊祈禱，邊寫作（我不祈禱，如給我住茅舍，一邊寫作，一邊還是寫作）。還去西班牙旅行。晚年成歌謠集《海邊》。二戰為法西斯捕入集中營，肺病死。

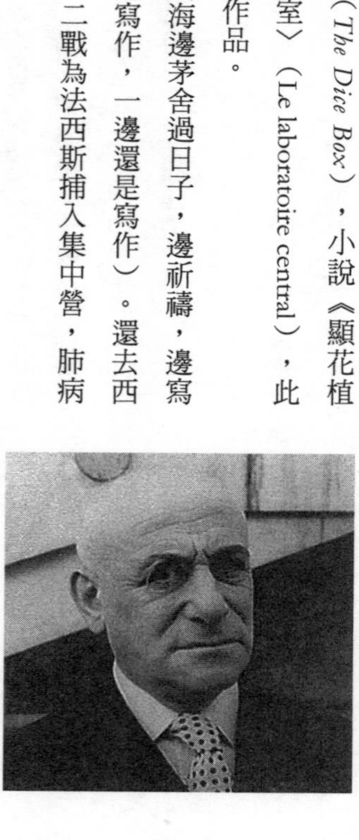

馬克斯·雅各布，原想當畫家。一九〇九年自稱見耶穌顯靈，從此從文。

死後聲譽大振，遺作出版。

他的好處，是復活了中世紀詩歌的題材，把宗教故事和神秘主義重新引入詩臺，主題是「著了魔的靈感和基督教神聖的矛盾衝突」，很有深意的。他的技巧現代，把直覺、幻覺提到技巧的首位。他對現代文學確有影響。

皮埃爾·勒韋迪（Pierre Reverdy，一八八九—一九六〇），詩人、倫理學家和小說家。在外省鄉間成長，自然景色給他很深的影響——洪水、風暴、災難，全是自然界的恐怖。

一九〇九年定居巴黎，與阿波利奈爾和畢卡索為友，鬧未來主義。一九一五年發表散文詩。一九一六年創刊物《北－南》，說明對詩的形象的定義。詩的形象應「自己鼓翼而來，不應是人為的製造」。這理論聽來很普通，就是「自動詩」作法。後來超現實主義就是用此法，以不相干的形容詞、動詞拼湊，很奇，有時很美。

有詩《橢圓形的天窗》（*La lucarne ovale*）、《偽裝的騎師》（*Les jockeys camouflés*）、《麻布領帶》（*Cravates de chanvre*）、《廢鐵》（*Ferraille*），散文《鬃毛手套》（*Le gant de crin*）、《船上的書》（*Le livre de mon bord*），小說《人皮》（*La peau de l'homme*）、《塔朗的盜賊》（*The Thief of Talan*）。

風格哀婉淒切，孤獨憂愁。後來卡繆的《異鄉人》受他影響，他是存在主義小說的先人。

漫長暑假，大家都有一點經歷，不妨講講，互相關懷一下。丹青去加州展覽，有成功，得到權威的肯定，請他自己講講。

第65講

未來主義、表現主義及其他

馬雅可夫斯基　卡夫卡

1992.10.18

一種藝術和另一種藝術，是映照的關係。藝術和藝術之間，藝術家和藝術家之間，藝術品和藝術品之間，是一種映照的關係。
藝術上不存在誰壓倒誰，誰吃掉誰。

一個人，一個藝術家，不要輕信任何主義。蘇聯完了，今天看馬雅可夫斯基的詩，不知所云，一個一事無成的天才。

表現主義：批判社會弊端，刻畫人性，以荒誕的情節和真實的細節來描寫。很新。現在還可以用，描寫內心恐懼、困惑。

俄國未來主義及馬雅可夫斯基

上次講了未來主義的發生、發展，也講了意大利未來主義的個人傳記。今天講俄國未來主義的情況。早在一九一一年，有一個俄羅斯作家叫謝維里亞寧（Igor Severyanin），有書《自我未來主義的序幕》，提出「自我未來主義」之稱，俄國未來主義開始了。下一年，馬雅可夫斯基、布爾柳克（David Burlyuk）、赫列勃尼科夫聯合出版了詩集《給社會趣味一記耳光》（*A Slap in the Face of Public Taste*），這名字想得滿好。三個人都是詩人。同時也寫了個宣言，三人同時登上未來主義文壇，成為代表人物。

十月革命前夕，思想界知識分子的理智、情感，都處於極度動盪。大家都以為被歷史所要求，從左傾的角度去提「一切重新評估」。很快，知識分子放棄未來主義，投向共產主義，寫詩歌頌革命，以為是獻身，以為自己從個人主義轉向共產主義——這就是當時俄國和共產主義的彼此誤解，誤解的中介，就是文學。

這段歷史，中國人也有體會。一九四九年前，上海藝術學院學生起勁地讀克利斯朵夫（編按：指羅曼．羅蘭的《約翰．克利斯朵夫》一書）、普希金、托爾斯泰，桌面都壓著這些人物的照片。到了解放軍渡江，上海杭州一個接一個「解放」了，一解放，又紛紛去參軍，他們自己以為「心路歷程」順理成章——順文學之理，成革命之章——後來呢，克利斯朵夫、普希金，統統放棄，極少數人還留戀，也留戀不了多久。我當時知道，非常難，共產主義不愛普希金的，不容克利斯朵夫的，我要走的路，被截斷了。怎麼辦呢，想了好久，決定退出文藝界，去搞工藝美術，不太積極，也不太落後，盡量隨大流，保全自己——我看俄國那批人下場，太悲慘。

未來主義者，其實都帶有虛無主義，革命是不容的，豈止不容，還要打擊、根除。三十年代後，未來主義煙消雲散。魯迅先生說過，俄國的革命詩人，撞死在革命的紀念碑上。

當時同學中走我這條路的，找不到第二個，都去革命了。他們來看我：「木心，你還掛貝多芬像、達文西像？你還掛這些！」

當時，這些都算是非問題，沒有餘地。

所謂中國文藝復興，是文藝復興個體戶。這種個體戶多起來，中國文藝可能復興。

知識分子對快速變化的社會，感到困擾，要反抗，又無力，因此悲觀絕望。所謂當時文學藝術上的未來主義，實在是虛無主義、個人主義。他們渴望破壞，渴望新的境界。馬雅可夫斯基說：把普希金、杜思妥也夫斯基、托爾斯泰，從現代生活的輪船上扔到海裡去！

把他們扔到海裡去，是犯罪行為，惡是要惡報的。

他們講速度美、動盪美，我認為是少見多怪，歌頌都市美，我認為是鄉巴佬。

唯一可以肯定的是，他們倒各有特色，各有主張、風格。比中國的千人一面，公式化、概念化，好得多。

意大利未來主義，與俄國很多相同。俄國未來主義很激進，對索洛古勃、波留洛夫（Karl Bryullov）、蒲寧（Ivan Bunin）、安德烈耶夫等等，統統否定。

我提這觀點：一種主義和一個人一樣，靠排他，總是壽命不長。所謂創作，是自我的完美、昇華，要完美、昇華，總要汲收，哪裡能靠排斥別人。

一種藝術和另一種藝術，是映照的關係。藝術和藝術之間，藝術家和藝術家之間，藝術品和藝術品之間，是一種映照的關係。

藝術上不存在誰壓倒誰，誰吃掉誰。

意大利、俄國，不同處是意大利未來主義是右傾的，俄國未來主義是左傾的。其實，左派最後並不容納馬雅可夫斯基。

稍微解釋一下：什麼是「自我未來主義」？謝維里亞寧說：

世界上一切犧牲都是為了我。
活著的東西活著吧，唱歌吧，
世界上只有你和我，
我和我的願望。

又說：

這種詩，要來問我：好不好？不好。壞不壞？不壞。我要說，這種詩很傻，像鳥一樣嘰嘰呱呱叫，什麼意思也沒有。

意大利人講「四度空間」的未來主義，俄國人講詩的形式、格式。俄國人後來說出什麼「共產主義的未來主義」，結果呢，俄共說那是「革命的幼稚病」。

馬雅可夫斯基（Vladimir Mayakovsky，一八九三—一九三〇），出生伐木家庭，九歲進文科中學，後轉學莫斯科。參加罷課遊行，和社會主義分子來往。一九〇八年加入俄國社會民主工黨，多次入獄，在獄中大量讀書。當時俄國流行一種說法：「革命和藝術不相容。」

用現在的說法看，是一種很聰明的說法。能提出這個中肯的意見，是有先見的，是先知式的判斷。最早有這先知的，是海涅：他和馬克斯為友，可是他看到巴黎公社起來，哭了，他說：革命起來後，我所愛的藝術就完了。

陳伯達還在報告中說：海涅在革命起來後，嚇破了膽。

我說，海涅憑他的詩人氣質，一開始就發現了無產階級來者不善。

馬雅可夫斯基比海涅天真多了。他內心愛好藝術，不願走老路，要創新，可是革命已經起來了，不容他的個人主義。他太傻，應該逃。我不是說過嗎，天才的第一特徵，就是逃。天才是脆弱的，易受攻擊的，為了天才成熟，只有逃。

我認為逃是以退為進，大天才的標誌都是逃。馬雅可夫斯基如果逃出蘇聯，在歐洲寫詩，多好，他無疑是個天才。

可是他後來把未來主義改成社會主義現實主義。一九二五年，他宣稱未來主義與共產主義不能攜手同行，要批判未來主義——你看！

藝術家、思想家，在任何時代、社會，一定是異端。什麼道理？因為任何時代、社會，藝術家、思想家總會批判這時代、這社會。要馬雅可夫斯基做歌功頌德的順民，他不肯，最後在黨內文藝圈批他攻他，最後只得自殺。可又不能說是為了黨氣死，還要為黨顧點面子，留下詩，說是為了愛情。

馬雅可夫斯基，黨內文藝圈批他攻他，最後只得自殺。可又不能說是為了黨氣死，還要為黨顧點面子，留下詩，說是為了愛情。

愛情的小舟撞在礁石上，沉沒了。

我曾經寫過一首長詩，題名〈火車彌撒〉，就為悼念馬雅可夫斯基。借他的例，寫黨與藝術的矛盾。詩稿還在，但問題不再新鮮，沒多大意義，作廢了。

附帶講講這個：一個中國人，一個中國藝術家，出不出國，是個終生大事（因為我希望馬雅可夫斯基能出來）。古代中國人怎麼樣呢？他們必須遊歷名山大川，可是今天，名山大川不夠了，我們要遊歷世界上的名城大都。

我自己也承認，我是到了紐約才一步一步成熟起來，如果今天我還在上海，如果終生不出來，我永遠是一鍋夾生飯。

我非常感激新大陸。

接下來，到不到歐羅巴，又是一件終生大事。

美國使你成熟——歐洲使你超越！

這樣，我們在世界上也算看過了，畫過了，寫過了，愛過了。我們可以對上帝這麼說：老兄，不虛此行。

也許問，開放以來，不是有千千萬萬中國人到美洲歐洲嗎？入籍定居，你怎麼說？我答：他們是為了錢，美洲是什麼，歐洲是什麼，概不在懷——他們是「不識歐洲真面目，只緣身在歐洲中」。

（座中學林問：馬雅可夫斯基哪裡觸犯了黨？）

木心：他歌頌黨，但名氣影響太大，必除。

再補充幾句：馬雅可夫斯基死後，史達林出來說：馬雅可夫斯基是我們時代最有才華的詩人——好，血跡洗掉了。

馬雅可夫斯基的確是個天才型的人物。寫詩，會畫，會設計，朗誦更好，有才氣。有詩〈穿褲子的雲〉（A Cloud in Trousers），這題目，我就欽佩他。他說：

> 我要是溫柔起來，像一朵穿褲子的雲。

他是白白犧牲。他的詩，是有才華，〈好〉（Good!）、〈列寧〉（Conversation with Comrade Lenin）、〈穿褲子的雲〉。他的才華浪費了。為什麼現在他還在文學史上占一席地？在蘇聯地位很高？這算是文學的成就、成功嗎？

他的詩，頌黨、頌列寧，好，現在蘇聯沒有了，列寧的遺體也要拍賣，他的詩，充其量是革命的殉葬品。

這是馬雅可夫斯基生命悲劇之後的藝術悲劇。他上當了。在共產主義運動中，他什麼也沒有得到。

他是落空的天才。那樣單純、熱情的人物，在俄國，在中國，都不會再有了。

馬雅可夫斯基追悼會，開到這裡——一個人，一個藝術家，不要輕信任何主義。他的詩，全是廢品。蘇聯完了，今天看他的詩，不知所云，一個一事無成的天才。

繪畫中的未來主義：

因為在座都是畫家，我略約講講繪畫中的未來主義。

意大利普喬尼（Umberto Boccioni，一八八二—一九一六），一九一〇年發表繪畫上的未來主義宣言。宣言共十三條：

一，一切模仿的寫實的形式，必須受到藐視。一切創造的革新的形式必須受到歌頌。

二，對「和諧」、「趣味高雅」，必須進行反抗。

三，藝術批評家是無用的，有害的。

四，為了表現驕傲、狂熱、街頭吵鬧、快速飛馳，這樣的現代生活首先要把曾經用過的一切主題一掃而空。

五，「瘋子」應該看做榮譽的稱號。

六，在繪畫中的補充是絕對必要的，就像詩裡的自由韻律，音樂中的「對位賦格」。

七，宇宙之力應在繪畫中得到表現。

八，表現自然，最重要是真摯和純粹。

九，運動和光，摧毀肉體的物質性。

以上正面主張。以下四個反對：

十，反對現代藝術變成綠鏽的瀝青色。

十一，反對在平淡的色彩上造成淺薄低級的仿古風格、及模仿埃及人的直線。

十二，反對虛假的獨立派，他們和從前的學院派是一樣陳腐的。

十三，反對繪畫中的裸體，他們像文學的通姦一樣讓人作嘔。但對裸體，不是從道德觀念，而是裸體的單調感，今後十年不要畫裸體（這條很有意思，要說明——當時房間裡掛著好多裸體畫。藝術家不愛畫老婆，愛畫情人的裸體）。

重複一遍，結束這一章：

無論文學、建築、詩、舞蹈、繪畫，未來主義都反對表現靜態，反對表現美女、和諧，要表達汽車、速度、飛跑。他們在威尼斯廣場散發二十萬張傳單，還是有建築師奧圖（Aalto），設計帳篷式的建築。

結論：

未來主義隨時代而起，並非領導了時代，所以未來主義不過是當代主義。

未來主義，沒有遠見、預見，不成其為先知。他們沒有靈感，不配稱為先知。

未來主義是本質上的無政府主義者，可是無政府主義者主張回歸自然耕種、手工業，但未來主義是個人主義的，喜歡城市都會，歌頌大工業生產。他們是都會的無政府主義，不是田野無政府主義。

據以上三點——未來主義沒有未來。

可是未來主義影響到現在，好的叫做影響，壞的叫做流毒。接下來，還有表現主義，不過是：一個村子裡有戶人家。

顧炎武：一為文人，便無足觀。

我補充：一入主義，便不足觀。

（丹青問：為什麼人喜歡標榜？）

木心：偷懶。不提主義，是累的。

表現主義之起及卡夫卡

表現主義。這是個大題目。

本世紀到了三十年代，歐美表現主義盛極一時，先在繪畫，後來擴張到文學、戲劇。最早於一九〇一年巴黎的一次畫展上出現這一用詞。一九一一年，馬里內蒂在柏林《狂飆》（*Der Sturm*）雜誌上發表表現主義宣言和其他理論著述。再推前，作為運動，前驅者是德雷斯頓畫家集團「橋社」（Die Brücke），後來又有慕尼黑畫家集團「藍騎士」（Der Blaue Reiter）。

「橋社」、「藍騎士」兩團政治觀不一樣，藝術上一致：反寫實，重表達主觀。主張客觀事物引起主觀激情，才有藝術。

文學上的表現主義也始自德國一次大戰前，小說、詩、戲劇，大量出現表現主義手法，很有成就。有奧地利詩人特拉克爾、捷克詩人魏菲爾、德國詩人海姆，還有貝恩（Gottfried Benn）；小說家有奧地利的卡夫卡、捷克的恰佩克。共同特點：批判社會弊端，刻畫人性，以荒誕的情節和真實的細節來描寫。很新。現在還可以用，描寫內心恐懼、困惑。

戲劇方面，表現主義先驅即瑞典的史特林堡，他用大段獨白，時空交錯。大戰前後有一批頗負盛名的戲劇家，德國有托勒爾（Ernst Toller）、凱澤，還有美國的尤金·奧尼爾（Eugene O'Neill）。

二十年代是他們的輝煌時期。

表現主義比未來主義強，至今還有影響，時而迴光返照，時而東山再起。

他們反對傳統現實主義，認為客觀世界已經存在，何必重複？這個問題很有深意——我的問題是：藝術曾經重複過客觀現實嗎？

從來沒有過。

這個問題是現實主義的全部奧秘。我願做現實主義的辯護士，今天暫且說一說，以後再說。

他們喜歡表達下意識、神秘。戲劇方面，他們借助道具、佈景、燈光、音響、面具，使人物的激情舞臺化，再構成夢境、幻象，目的是直接訴諸感官和直覺。

對現實生活中的活人活事不感興趣，傾向探討抽象的哲理性的問題：人性和暴力、個人和群眾、人的異化。重視社會整體的東西。人物性格不加刻畫（很容易概念化），因此人物面目不清，行動飄忽，有時名字也沒有（高級的淺薄）。和象徵主義相近，有血統關係。情節離奇荒誕，篇篇求怪。

再進一步探討它在文學上的淵源——祖宗是波特萊爾。

自從波特萊爾，文學的筆鋒從外在轉到內在。到馬拉美，更聰明，看到世界要變，我們無法與世界爭，只好回到內心，維持穩定。他不再表達現實，只寫內心活動。他說：

表達我們生命的奧秘，賦予我們存在的真實感，以完成我們精神的業績。

通達，爐火純青，涵蓋性極大的。還有梵樂希，作為馬拉美的學生，他說得更透明：詩人的天賦，是創造一個與實際事物無關的世界。

這種文藝觀的涵蓋性非常大，表現主義只是擇其一部分。總之，表現主義重純粹主觀——但難道有純粹的主觀嗎？波特萊爾、馬拉美的詩句，都和客觀現實有關的呀。

但在他們說的時候，想的時候，講得起勁的時候，我也就笑笑。不要拆穿西洋鏡，要講禮貌。

表現主義的「生父」是史特林堡。

法蘭茲．卡夫卡（Franz Kafa，一八八三——一九二四），生於布拉格猶太中產家庭，父親是百貨批發商，脾氣暴躁。一九一〇年進布拉格大學學文學，後轉學法律，畢業後在保險公司當職員。中學時就喜歡易卜生戲劇，大學參加文學活動，和一個叫馬克斯．布洛德（Max Brod）的很要好。這個布洛德留下了他的作品，否則不會有卡夫卡。

卡夫卡還深受丹麥齊克果哲學影響。

一句老話：性格決定命運。卡夫卡鬱鬱寡歡，老在療養院過日子。寫作勤

卡夫卡，攝於一九〇六年。深受齊克果哲學影響，反覆讀《老子》。

奮，老不滿意，毀掉，所以作品很少。一九二二年病重，辭職，兩年後死。托布洛德燒毀他的全部作品。布洛德答應，卡夫卡死；布洛德想想不能燒，乃出卡夫卡全集。

我小時候讀到這裡，感動。卡夫卡境界是高的。我從小也想寫，寫後燒，真是少年不知「燒」滋味。燒不得的！但境界真是高。卡夫卡像林黛玉，肺病，也愛焚稿，應該把林黛玉介紹給卡夫卡。

小說〈在流刑地〉（In der Strafkolonie）、〈變形記〉、〈獵人格拉庫斯〉（Der Jäger Gracchus）、〈萬里長城建造時〉（Beim Bau der Chinesischen Mauer）、〈饑餓藝術家〉（Ein Hungerkünstler）、〈地洞〉（以上中短篇），《美國》、《審判》、《城堡》（以上長篇，都未完成），通信集、散文、七篇速寫。

才子薄命。身體弱。終生獨居。少年時受父親壓。十月革命，人家興高采烈，他毫無反應（這在當時不容易），不愧是老子和齊克果的讀者。他一意求新時，對不同派也從不反對，自己另闢蹊徑。評家把他和莎士比亞並列，可見之高。我不同意這麼比，但也不想貶低卡夫卡。他高潔、誠實，他要燒稿，何等高潔。他讀老子，反反覆覆讀，說：我的智力不及老子。他讀不懂，就這麼說（其實是懂了的，讀了老子誇誇其談，反而是不懂），又何等誠實。

凡是高潔、誠實的人，都是悲觀的，都是可敬可愛的。

休息時有句：

在外總是鍍，回國才是金。

借問行路人，何如普式庚？（編按：普式庚，即普希金。）

第66講

卡夫卡及其他

《審判》《城堡》〈變形記〉恰佩克　德布林　魏菲爾

1992.10.24

人類的上智者的痛苦，是明知真理是有的，可是得不到。下愚者快樂，無痛苦，他們不需要真理，所以他們沒有失望。人類中多的是既不上智，也不下愚，忽覺有真理，忽覺無真理，忽而找找，忽而不找了。這是我的看法，但確是從《審判》中引伸的。

我還是喜歡現實主義。醒著做夢和夢裡做事，總是醒著好。醒著做是「擁抱」，夢裡是「Touch」。
夢裡愛一個人，總是愛不好的。

我來這麼説：
只有藝術才能救人類。但藝術救不了人類。問題不在藝術而在人類。我們屬於藝術，不屬於人類。

秋季時間撥晚一小時，都不知，全早到了。

課前閒談。談中國目前大富、巨變，文化前途如何？木心：我們目前憂國傷時，是一回事，個人主義打算，是另一回事。從個人主義角度說，還是現在這樣好。上海解放前，我也覺得上海是個罪惡的城市，可是一「解放」，水清了，我知道我錯了。個人主義的空間沒有了。

巴黎當時也是罪惡之淵，大家都往巴黎跑，在不安定中求安定。紀德說：「在暴風雨的中心是安靜的。」達文西看了米開朗基羅的西斯廷天頂畫，說：「我不如米開朗基羅，但他是暴風雨，我是那個中心，上帝在那個中心。」

（說到中國目前經濟好）木心：很簡單，好鋼琴家，要有一架好鋼琴；一架，足夠了。好鋼琴家連一架琴也沒有，慘了——可是不會彈，鋼琴再多也沒有用。

卡夫卡及其作品

今天講卡夫卡。他是可以講講的。他的作品，上次講了，後來他要燒掉。今天講他的主要作品：《美國》（*Amerika*。編按：此為卡夫卡死後出版時的書名。

卡夫卡生前該小說名為*Der Verschollene*，意思是失蹤者）、《審判》（*Der Prozeβ*）、《城堡》（Das Schloβ）、〈變形記〉（Die Verwandlung）。

《美國》是他假想的。他沒到過美國。主角是個德國少年卡爾．羅斯曼，受女傭引誘，得私生子，父母責罰。他寫美國婦女饑寒交迫，死在街頭，打工者因疲倦昏倒在地上。警察殘暴，流氓橫行敲詐。

他只是借美國名義虛構了一個資本主義社會，表現社會矛盾。我看是不成熟的，不成功的，一般評價也不高。

《審判》有點意思了。主角是個銀行襄理，叫約瑟夫．凱（Josef K）。一天早晨，秘密法庭宣布要逮捕他，他慌得不得了，自問無罪，到處申辯，找律師。律師說，法院是個藏垢納污的地方，如你是犯人，有冤也無處申。於是他去找法院畫師，畫師說，法院一經對某人申訴，就已定罪，無法反駁。他又找穀物商人幫忙，穀物商說，我為自己的案子折騰二十年，傾家蕩產，還沒結果——主角終於覺悟，法庭有強大背景，能把無罪人捉來，審訊，密探接受行賄，法庭推事都是無才無能的，最後，主角在黑夜裡被法庭處死。

故事就是這樣。寫法模模糊糊，氣氛恐怖、壓抑，說來是作者在奧匈帝國統治下捷克人的心情。

卡夫卡生在奥匈帝國末期。什麼叫「奥匈帝國」（Austria-Hungary）？一八六七年奥地利、匈牙利聯合組成，匈牙利人稱呼「奥斯馬加」（Osztrák-Magyar）。由奥王兼匈王，兩國軍隊合用，度量衡、關稅、幣制，兩國一致，此外分行制度，歷五十一年，直到一次大戰後，分解獨立。捷克是一戰後獨立的，首都是布拉格。

《審判》已有他自己風格。主角名字K是作者姓氏的第一個字母。細節很真實，色調很陰森，我們可從讀者立場看，解作「真理可望不可即」。小說有一人物是牧師，他說：「真理是有的，通往真理的路障礙重重，但我們不可能闖過去，因此真理找不到。」

這個悲觀主義論調，從宗教出發，上升為哲學，又回到宗教。人類的上智者的痛苦，是明知真理是有的，可是得不到。下愚者快樂，無痛苦，他們不需要真理，所以他們沒有失望。人類中多的是既不上智，也不下愚，忽覺有真理，忽覺無真理，忽而找找，忽而不找了。這是我的看法，但確是從《審判》中引伸的。

當時他寫的背景還是奥匈帝國。帝國去掉後，情況還是存在——後來捷克來了蘇聯老大哥。

接下去，我將這問題再擴大化。藝術品分三大類：

一，有現實意義，沒有永久意義。

二，有永久意義，沒有現實意義。

三，有現實意義，有永久意義。

大家對照自己，屬於哪一類？所謂社會現實主義，大致屬第一類（十九世紀俄國那種「批判現實主義」，和「社會現實主義」不同）。例如歌頌史達林，按「延安講話」寫的那些作品，當時確有現實意義，現在沒有了，只限於一國、一個短時期。

不以反映現實為務，屬第二類，如塞尚、梵谷。蘋果、向日葵有什麼現實意義？幾千年前，幾千年後，蘋果、向日葵，都是這樣。

再舉例，屬第三類——像托爾斯泰、狄更斯、哈代，既有現實意義，又有永久意義。歷史過去了，永久意義仍在，甚至更強。一八一二年過去，《戰爭與和平》不過去。

如果著眼於永久意義，更好，如《復活》，等到它的永久意義出現，連它的現實意義也帶進去。

這樣的分法，我是在舊事重提：為藝術而藝術，為人生而藝術。現在看來，這爭了一百年的事，雙方都不知在說什麼——文理上先不通：什麼叫為藝術而藝術？為人生而藝術？譬如，什麼叫為吃飯而吃飯？為人生而藝術？難道有為狗為貓的藝術？都沒說清楚。說清楚後，不叫「平反」，是「反平」。

回過來說三類：第一類屬政治宣傳、宗教宣傳、商業廣告、流行文化，都只有現實意義，沒有永久意義，實用第一。本世紀津津樂道的「次文化」，沒有永久意義，嚴格講，也不能說現實意義，只能說是有市場，有銷路。

所謂次文化，就是反文化。可能文化會死在次文化裡，次文化是個殺手，要殺掉文化。這點沒人提過。

唐宋元明清統統給殺死。一個沒有文化的富國，等於肥胖的白癡。

扯遠了，回來，講《城堡》，這是他的代表作。

主角也是K，他請求在城堡近郊落戶。去了，找了好久，找不到，冒充土地測量員，得嚮導，走一整天，還是找不到。K於是勾引城堡官員的情婦，還是達不到目的。小說到此結束——K直到臨死，才得到城堡允許，可在郊區落戶。

城堡代表官方機構，高高在上，民眾怎麼也靠他不攏。這樣粗淺的解釋，是對不起卡夫卡的。

城堡的現實意義，是指奧匈帝國。永久意義：所謂真理、自由、法律，應該都是存在的。可是荒誕的世界總是設置種種障礙，永遠達不到。想盡辦法，以為得到一點點可能，結果又有障礙，永遠達不到。

藝術上談談。

從前我和李夢熊談卡夫卡，其實都沒有讀過他，都是騙騙自己。來美國後只聽港臺文人卡夫卡、卡夫卡，家裡還掛著他的像——我心中覺得情況不妙。一個人被掛在嘴上，總是不妙。

結果偷偷讀了卡夫卡——港臺文人根本是奢談，炒股票似地炒卡夫卡——卡夫卡手法是很好，寫得朦朧，但筆法很肯定。再看下去，發現他是個寓言。

寓言宜短不宜長。

寓言一長，讀著讀著，讀者已經悟了，到後來，大悟沒有了，分散了，卡夫卡上了自己的當，所以他要燒掉。

他的色調很灰，意象很特別。官僚抽宗卷，辦公室裡一片宗卷倒聲，這種寫法好。

你們要讀《城堡》。注意開頭幾段，功力非凡。

下面還要談到現實主義和表現主義的關係。

我還是喜歡現實主義。醒著做夢和夢裡做事，總是醒著好。醒著做是「擁抱」，夢裡是「Touch」（觸摸）。

夢裡愛一個人，總是愛不好的。

喔喲！卡夫卡這個名字一聽就好像不得了。等到看見照片——這麼苦命。從耳朵、眼睛，一直苦到嘴巴。這麼苦命，和中國賈島一樣。

「現實」像墨水，我蘸一蘸，寫「永久意義」。但不能沒有墨水，不能不碰現實。

我年輕時不看報，唯美、空靈、抽象，很長一段時間如此，不好的，不行的。一定要有土壤，骯髒的土壤，不然生命就沒有了，味道沒有了。

現實是永久的一環。

〈變形記〉，主角格里高爾，旅行推銷員，忠心耿耿，安分守己，忠於職守，每天勞碌奔波，從來不敢偷懶。有天醒來，發現變成大甲蟲，背上堅硬如鐵，肚子有棕色甲片，很多細腿。而他還要趕五點火車去推銷，鐘點已是六點半。不久家人、秘書，都來了，他慌得掉在床下，秘書罵說經理已懷疑他要貪污，他辯，但秘書聽不到。他爬出門，秘書嚇跑，母親昏倒。父親把他打回屋。後來只有妹妹進來送食、打掃。他本來養家，成了甲蟲後，家計無著，父親打雜，母親縫紉，妹妹出去做傭人。有一天父親追打這甲蟲，以蘋果擊，後來蘋果爛在甲蟲背上。房屋被分租，妹妹為人拉琴，甲蟲爬出偷聽，被趕，他退回房，妹妹鎖門。第二天甲蟲死在屋內，全家高興，去旅遊。

妙是妙在他寫格里高爾的心理。寫到後來，自己都變成甲蟲，讀者也會感到自己是甲蟲。我們都同情這甲蟲，他原來是個秉性善良的人，一家之主，節衣縮食，省錢持家，供妹妹上音樂學院，成了甲蟲後，還愛家人，只望自己死。

這是一種獨特的人道主義。主題是這樣的——被侮辱被損害的人，來愛侮辱他損害他的人。

這種轉了味的人道主義，很感人，杜思妥也夫斯基、福樓拜，從來沒用過這種手法。

他死了，全家去旅遊，這寫得好！

對現代文學影響很大：荒誕、象徵、現實，很自由地結合在一起。也可以說他在現代文學中開拓新技法，新境界，新造詣（「詣」，即到一個地方）。

《城堡》、〈變形記〉，手法是他個人的偏好，他完成得很好，他的作品並未完成，但風格完成了（有的人作品完成了，風格沒有完成）。

這裡要說到荒誕與現實的互補關係。這是一條大路（這可以解釋丹青最近的畫），也可以說是「互動」。為什麼說是條大路？因為人世間的事，充滿真實性的荒誕，真實的事，一派荒誕。

現實主義整個已有的成就，十九世紀是實實在在的現實主義。

這不叫進步，叫發展。以我個人的喜愛，我偏於實實在在的現實主義。正如我重視醒著的生活中的事物，認為假想的夢中的事物不夠味。

但這樣可以平實對待卡夫卡和馬奎斯——不必大驚小怪。這不是空前絕後。未必勝於十九世紀，虛虛實實未必勝於實實在在。

結論是，我們還有路可以走。

關於卡夫卡講到這裡。下面換一個作家來講。

恰佩克——反對資產階級獨裁

卡雷爾・恰佩克（Karel Čapek，一八九〇—一九三八），捷克戲劇家、小說家。伏契克（Julius Fucik）說他是捷克文學中最有世界性的作家。父親是鄉村醫生。他在大學裡學哲學，畢業後任記者，一九二〇年發表《羅素姆的萬能機器人》（*Rossum's Universal Robots*），一舉成名，又發表與哥哥合作的《昆蟲生活》（*Pictures from the Insects' Life*）。接著，發表《長生訣》（*The Makropulos Affair*，又譯《馬克羅普洛斯事件》）、《白色病》（*The White Disease*）、《母親》（*The Mother*），都是劇本，主題都是反對資產階級獨裁，反法西斯主義。小說影響大的有科幻小說《專制工廠》、《原子狂想曲》（*An Atomic Phantasy*）、《鯢魚之亂》（*War with Newts*）、《第一救生隊》，主題同上，反帝國主義戰爭罪惡。

恰佩克，一九二〇年發表《羅素姆的萬能機器人》，一舉成名。

他的表現主義繼承了史特林堡的傳統，用誇張、扭曲、荒誕的形象，反映嚴肅的現實。

人的異化，是人的毀滅。科學物質昌盛，少數人賺錢，多數人受害——我總以為這是外在的、硬性的，寫時痛快，於事無補。是一種發脾氣的理想主義。還是書生論政。

不反對他寫。我自己不會寫。對現代現實，我最多寫一些簡短惡毒的評語，給朋友看看，一笑，反正是完了的。人類的現代化，無非是人類自毀的速度加快。

德布林——反映現實，大加批判

阿爾弗雷德·德布林（Alfred Döblin，一八七八—一九五七）。這個人有點意思了。生於德國猶太小商人家庭，貧寒，本人長期行醫為業。在表現主義刊物《狂飆》上發表小說〈黑窗簾〉（Der Schwarze Vorhang），一舉成名。早期還有三小說：《王倫三跳》（*Die drei Sprünge des Wang-lun*）、《華倫斯坦》（*Wallenstein*）、《山、海和巨人》（*Berge Meere und Giganten*）。

《王倫三跳》，以十八世紀晚期中國為背景，影射德國的黑暗現實。王倫是道教點傳師，老子的忠實信徒，主張「勿抵抗」。我想這是反諷，以宿命論、不抵抗主義來批判專制暴政。

《華倫斯坦》我沒有看過，從略。《山、海和巨人》，寫公元二十至二十七世紀的人類故事，古生物復活，和人類打，主題是人創造高度物質文明，導致人自己退化。

中期，長篇小說《柏林，亞歷山大廣場》（*Berlin Alexanderplatz*）、《一九一八年十一月》（*November 1918, eine deutsche Revolution*，又稱《四部曲》，包括〈市民和士兵〉、〈被出賣的人民〉、〈部隊從前線歸來〉、〈卡爾與羅莎〉四卷，是他代表作，歌一九一八年德國革命，頌卡爾·李卜克內西）。

當時對資本主義和無產階級都有誤解。資本主義看得見，共產主義看不見。以看不見批判看得見，當然容易。現在共產主義看得見了，資本主義呢，變樣了。

晚期，長篇《哈姆雷特，或漫漫長夜的結束》（*Hamlet oder Die lange Nacht nimmt ein Ende*），探討每個人在社會歷史的發展和毀滅中的責任。

論技術，他能大刀闊斧，又能精雕細琢。他是反映論者，主題先行者，反映現實，加以批判——等到共產主義過去，他的現實意義過去。

表現主義三詩人

再講幾位詩人。

格奧爾格．特拉克爾（Georg Trakl，一八八七－一九一四），生於奧地利薩爾茨堡，和莫札特同鄉。這個人我同情他。他在年輕時學藥劑學，後任職軍中藥務稽查，在前線見戰爭殘酷，要瘋了，曾試圖開槍自殺，被救下，寫詩反戰爭。這是個好人。

他受梅特林克和韓波影響，表現主義、象徵主義都用。有詩《塞巴斯蒂安在夢中》（*Sebastian im Traum*）、《寂寞者的秋天》（*Der Herbst des Einsamen*）、《夜歌》（*Gesang des Abgeschiedenen*，一譯《死者的歌》），風格憂傷哀婉，沉鬱頓挫，有杜甫、屈原的味道。他是個真性情的人道主義者，也寫優美溫馨的詩，一邊反戰，一邊嚮往平和幸福的生活，意境深遠，格調高雅，對德國當代寫作有影響。

人好，語言就會好——藝術本來想救人類的，救不了，結果倒是救了藝術家自己。救不了藝術家，那他是個凡人，不能怪藝術。

特拉克爾，詩人。在前線見戰爭殘酷，試圖開槍自殺，被救下，寫詩反戰。

法蘭茲·魏菲爾（Franz Werfel，一八九〇—一九四五），捷克人，出身布拉格工廠主家庭。作品有詩集《世界之友》（*Der Weltfreund*）、《我們是》（*Wir sind*）、《審判日》（*Der Gerichtstag*），基本主題探討人的道德責任，以真摯激昂的熱情尋找答案。他習慣用各種題材表達一個思想，什麼思想：人必須依照良心的囑咐來對照自己的行為。他痛恨道德淪喪、人性墮落，他的主題是道德良心。

但這永遠是詩的主題，各時代寫法不同而已。

他境界還是高的。他寫戰爭，不寫慘狀，寫人在戰爭中的道德淪喪、不友愛、殘酷、自私，他是真誠、有見地的。風格明快溫柔，優雅勻稱，從心底裡透出優越的情致。別忘了，所謂表現主義一般都靠怪誕恐怖、有點歇斯底里，他是表現主義中的異數，他表現溫柔。

他也寫戲劇，卻抽象模糊，不易理解。

他認為現代社會是金錢造成人的墮落，傳統的人與人的友誼喪失了，只有金錢關係，感情不通，思想不通，沒有抱負理想。這都對的。他又寫人性的光明偉

魏菲爾，痛恨道德淪喪、人性墮落，他的主題是道德良心。

大，「唯有天良和道義能拯救世界。」要人們醒來，恢復責任和友愛。他說：

我是你的，我是大家的，我們是兄弟，別存心跟我作對，啊，有朝一日，
我們彼此張臂擁抱，那該多麼好。

這種聲音曾經很熟悉，現在陌生了——那是貝多芬的聲音，是《第九號交響曲》的合唱。但藝術救不了世界。蘇聯憲法通過時，唱《第九號交響曲》，中國國慶十周年，唱《第九號交響曲》。我來這麼說：

只有藝術才能救人類。
但藝術救不了人類。
問題不在藝術而在人類。
我們屬於藝術，不屬於人類。

我是已經冷靜了——上次丹青說我其實是熱情的。我說，有那麼一點，一點點熱過了的情——因此我喜歡魏菲爾的詩，讀一首給大家聽：

你小時可曾玩過槍
有木塞背帶的槍
可曾弄壞扳機
如今我沉在遐想裡
你和我一起哭吧
不要心腸太硬

德國詩人格奧爾格．海姆（Georg Heym，一八八七—一九一二），出生於西里西亞，在柏林攻讀法律，做過候補推事。和表現主義作家往來親密。他是個好人，見人落在冰裡，自己跳下去救，死了。二十五歲。

他生前出過一本詩集《永恆的一天》（*Der ewige Tag*，1911），這題目不祥。死後又出一詩集。他把莊嚴典雅的古典風格和放蕩不羈的現代技巧結合起來，格律整齊，賦予神奇瑰麗的想像。早死，可惜。

海姆，德國詩人。為救人而溺死。詩集《永恆的一天》。

下次講表現主義的戲劇作家（現在表現主義還大有餘波），他們個性特別強，在同一風格下各有風格，為什麼？

他們有個人主義的人文背景。

個人主義，我歸結為：自立，自尊，自信。你不能自立，就無法自尊。不能自立自尊，何談自信？

西方藝術家個個有自己的風格。這一點，我們吃虧了。

最後來一句半俏皮話：個人主義就是健康。

祝諸位健康！

第67講

表現主義、達達主義、超現實主義

1992.11.8（缺課）

第68講

意象主義（一）

隱逸派　龐德　休姆　艾米・洛威爾

1992.11.22

「意象主義」和「意象派」兩個詞，是龐德創造的。他說：「意象是一剎那間思想和感情的複合體。」

一個詩人，參加黨，無論什麼黨，都是愚昧的。你做詩人，已經入了最好的黨了，何必屈尊去和小黨壞黨廝混？龐德是狂人，不是天才。中國的文學、文化沒有教好龐德，先是棄邪歸正，後是大邪特邪。

思想家的戰場在精神領域，肉體上戰場，極不智的。肉體力量小，頭腦力量大，但頭腦不能自存，一定要肉體頂著它。一個思想家而沒有想清楚這點，可惜。

隱逸派

兩次大戰之間，意大利出現過一個詩的流派，「隱逸派」（L'ermetismo），在意大利舉足輕重。理論、方法，淵源於法國象徵主義，同時派生出意大利的未來主義。他們認為，詩不是描寫社會生活，無法表現真實，只能尋求個性真實，超脫現實，刻畫內心的微妙、孤獨、憂鬱、悲傷。

但隱逸派還是曲折接觸外在世界，如反法西斯，愛祖國。

藝術特色：

一，採用象徵、隱喻，比象徵派更悲傷，更濃重。

二，長於從自然中擷取內涵豐富的景物，使情景妙合。

三，精練語言。

四，重音樂效果，認為音韻比字句更具內涵，更有表現力。

意象主義的興衰、特點

隱逸派是小派，有限，下面講「意象主義」（Imagism）。這是現代英美詩的一個大派，流行於二十世紀早期，創始人是龐德和休姆，中堅分子有希爾達·杜利特爾、艾米·洛威爾、理查德·奧爾丁頓、弗林特（F. S. Flint）、馬多克斯·福特（Ford Madox Ford）等。

十九世紀英國維多利亞王朝的詩，充滿宗教訓誡氣味，故作艱深，未久即使人厭煩，實在是詩被宗教道德僵化了。到十九世紀九十年代，英國也出現了所謂為藝術而藝術的唯美思潮。

上次批評了為藝術而藝術。這提法，說不通的。但我何嘗不知當時的苦衷？這提法，意圖是為振興藝術，我完全諒解的——我自己少年時也信為藝術而藝術。現在時隔一百年，可以挑剔字眼，說說俏皮話。為藝術而藝術、為人生而藝術，都不知所云。

為藝術而藝術，當時大而化之，英國詩臺一時醇酒美人，無病呻吟，詩法混亂，如此便有後進決心革除積弊，其中有志氣才華的年輕人風雲聚會，於是起「意象派」運動。

意象主義不像未來主義、達達主義那樣無法無天、沒爹沒娘。意象主義有來源，可分為三方面：

一，法國的象徵主義。然而象徵主義隨意性大，任意賦予事物以象徵性；意象主義則尊重客觀，避免改變事物的形狀特質。「意象主義」和「意象派」兩個詞，是龐德創造的，他說：「意象是一剎那間思想和感情的複合體。」

二，古希臘、古羅馬的詩和詩論。意象派詩人學習古典，食古而化。

三，中國古典詩詞（也提到日本的俳句）。龐德是研究老子哲學的，翻譯了不少中國古詩，收入《華夏集》（*Cathay*）。

講到這裡，大家可以透一口氣。未來派、達達派、超現實主義，把人整死了。一到意象主義，清風吹來，呼吸暢通。我再概括一下意象主義的以上三個來源：

一，尊重客觀（現實的）。

二，繼承古典（縱向的）。

三，參考東方（橫向的）。

其實意象主義針對歐陸的未來主義、達達主義、超現實主義而發，可說是「實迷途其未遠，覺今是而昨非」。話雖如此，但因事在人為，意象主義的發展和內部成員的變化，複雜得很。

主義、派，都是吃力的，不討好的。

下面點明意象主義的歷史契機。它的活動期，可以分三個階段：

醞釀形成階段（一九〇八－一九一二）。

高潮階段（一九一二－一九一四）。

衰落階段（一九一四－一九一八）。

有人說，意象主義產生在休姆的倫敦文藝沙龍裡。休姆師承柏格森，強調思想過程中的感情作用，認為邏輯思維的概念中是有意象的。龐德與他觀點一致，便一同組織了意象派運動。

此後詩人們一面闡發理論，一面致力實踐，辦刊物、出集子，聲勢漸起，影響歐美詩臺。

不久一戰爆發，詩人從軍了。這時，龐德轉變觀點，認為意象主義已成新的形式主義，便另辦《風暴》（*Blast*）雜誌，鼓吹漩渦主義，與意象主義對立。一九一四年後，意象主義漸趨衰落，一九一八年，風流雲散。

意象派消失了，影響至今宛在。不要小看了意象派，它是有生命力的。前面講過，它有根有源，有所建樹，有功勞的。

舉個例子，七十年代美國詩臺的新派代表羅伯特·布萊（Robert Bly），被稱為「新超現實主義」，他的詩，仍有意象主義的特徵。「我活著一天，就有光海升起」、「我彷彿看見，石頭裡面的眼淚，就像我的眼睛在地底下凝視」，諸如此類。

布萊傾心中國古詩，他的很多詩，有唐詩味。

意象主義還有以下特點：

一，反對十九世紀末的頹敗詩風，反對機械模仿，反對把詩變成美的謊言和個人夢幻，主張結合再現與表現，物、理、情一致，內容與形式和諧，以意象代替形象。追求瞬息間與對象融合，達到「物我合一」的「忘我」境界。詩中的意象既是感悟，又是經歷。

二，反對說教、訓誨。什麼是新鮮的，什麼是陳腐的，要重新評價。念一首龐德的〈樹〉（The Tree）：

我是叢林中的一棵樹
靜靜挺立著
知道前所未見的事物的真諦
知道月的女神和月桂花環
還知道那對老夫婦宴請諸神
他們在高原上種植榆樹和橡樹
直到眾神被懇求並被迎入心靈深處
他們才顯示這番奇蹟
儘管我是叢林中的一棵樹
卻懂得許多新鮮事物
以前我卻一直認為是荒誕的

三，參酌古希臘、古羅馬、中國、日本的詩，因其年代久遠，禁得起時間的考驗，反而新鮮，永保青春。愚蠢的未來派、達達和超現實吃了虧，意象派卻知道要占便宜，以龐德最為突出。

四，更新語言，不用廢字，不用缺乏表現力的字。要口語化，又要有音樂性。龐德有一個說法：

> 只有當所詠的事物建立起一種比固定韻律更美的節奏時，或者說，只有當這種節奏比格律規定的抑揚頓挫更為真實、貼切、直捷，更有利於理解，更加是感情的一部分時，才能寫自由詩。

龐德的要求，時人以為過於苛刻、高超，我倒覺得這是自由詩的起碼、起點。自由詩比格律詩更難寫，所以我寫自由詩。「自由詩」（Free Verse）這名稱是有問題的。如果有人問我：「你寫格律詩呢？還是自由詩？」我會答：「我不寫格律詩，也不寫自由詩，我寫詩。」

意象主義能知道以上四點，奉作信念與實踐，那是高明，也可說是「棄邪歸正」，只是「正」得還不夠。

意象主義創始人龐德、休姆，及洛威爾

講講龐德，大家對龐德有好奇心嗎？

艾茲拉·龐德（Ezra Pound，一八八五—一九七二），美國現代主義盟主。狂人、怪傑、西方現代詩的巨星。出生於愛德華州小職員家庭，先後在賓夕法尼亞大學、紐約哈密爾頓學院攻讀語言文學。一九〇八年第四次到英國，在倫敦與美學家、哲學家休姆相識，入其沙龍，與之共創意象主義。一九〇九年出版詩集《面具》（*Personae*），為意象派之首作，自此成為倫敦文壇領袖。

一九一四年編選第一本《意象派詩選》（*Des Imagistes*），創辦了《自我》（*The Egoist*）雜誌，自任主編。但同年忽然拋棄了意象主義，認為不夠現代。他鼓吹「藝術是一種強力」、「漩渦是最大強力的頂點」，遂大力呼喊「漩渦派」理論。可是應者寥寥，不成氣候。

龐德早期的詩，格調清新，感情親切，技巧富於獨創。後來寫的長詩（現代史詩），不及早期（史詩的時代早已過去，現代無史詩可言）。

龐德識人。他發現並培育了一代新詩人、作家，其中如泰戈爾、T．S．艾略特、海明威，三個都得過諾貝爾獎。艾略特〈荒原〉（The Waste Land）的前半部分，幾乎可說是龐德的代筆。

四書──《大學》、《中庸》、《論語》、《孟子》。

五經──詩、書、禮、易、春秋。

龐德是中國迷──不能算「中國通」──他對方塊字，真是識字不多，但他猜度。他對中國古詩、孔孟之道，佩服得五體投地。他親自翻譯了中文詩和儒家經典。我原以為龐德瞎胡來，但據劉軍說，龐德譯得別有風味。是依據中國古文古詩作靈感，自己創作了一番。我看是外國廚師燒中菜，外國人吃起來配胃口。

這個狂人講究吃穿享樂，長得一副大師派頭。但狂人畢竟危險。二次大戰，他站在法西斯那邊去了。

一九四五年，他被美國政府捉拿歸案，定叛國罪。幸虧文化界知名人士奔走呼籲，得從輕發落，受監視保護，失去自由，留住了性命。一九五九年開釋，移居意大利，又參加新法西斯黨。

一個詩人，參加黨，無論什麼黨，都是愚昧的。你做詩人，已經入了最好的黨了，何必屈尊去和小黨壞黨廝混？龐德是狂人，不是天才。中國的文學、文化沒有教好龐德，先是棄邪歸正，後是大邪特邪。法西斯不是超人哲學，是反文化的，要毀滅世界。凱撒、拿破崙是英雄，希特勒、墨索里尼是暴徒。對英雄，可以成敗論得失，也可以不論成敗與得失，對於暴徒，無話可說，打倒，消滅，根治。

龐德主編的第一本《意象派詩選》，入選詩人除了前面幾員大將，還有美國的約翰·弗萊徹（John Gould Fletcher）、愛爾蘭的喬伊斯等等。意象派是鬆散的文學集團，有宗旨，無組織，虎頭蛇尾。龐德才出版了第一本年刊，便拂袖而去。勞倫斯、福特、弗萊徹、T·S·艾略特、喬伊斯，都是忽而這樣，忽而那樣，最終脫離意象主義運動，各奔前程。

說到中國迷，除了龐德，其他如福特、弗萊徹都有這個傾向。福特曾編撰了一部《文學的發展》，從孔子寫到近代的長篇巨著。弗萊徹非常愛李白和道家學說，認為道家是東方的象徵主義。

龐德，西方現代詩的巨星。意象主義的創始人之一。

休姆（Thomas Ernest Hulme，一八八三—一九一七），英國著名哲學家、美學家，西方現代主義奠基人之一。曾在劍橋大學深造，後獨立研究哲學、美學和歐洲語言。赴加拿大、比利時、意大利、德國，求師訪友，在倫敦組織文藝沙龍，名傳遐邇。

一九一四年投筆從戎，一九一七年死於戰場。死後聲譽更大，在先鋒派文藝家心目中成了傳奇英雄（思想家的戰場在精神領域，肉體上戰場，極不智的。肉體力量小，頭腦力量大，但頭腦不能自存，一定要肉體頂著它。一個思想家而沒有想清楚這點，可惜）。

休姆的思想：起初他發表了幾篇關於柏格森的論文，之後與龐德制訂意象主義綱領，宣揚「人類中心說」和表現自我的主觀美學，反對偽古典主義，反對宗教原則，反對純技巧，號召研究拜占庭和東方藝術，他認為新的詩即意象詩，要「嚴格、優雅、活潑」。他強調詞彙的作用，詞彙是「概念的物質負荷」、「具有最高的表達意義」。

他甚至下結論：「詩只是詞彙的鑲嵌。」

先是反對純技巧，最終又落入詞彙的陷阱。文學修辭，關鍵不在某個用詞妥當貼切（福樓拜的「一字說」，即找到你唯一準確的那個字，也是ＡＢＣ），而是構成句子文章的所有名詞、動詞、介詞、形容詞、副詞、助詞、連接詞、感歎詞，還有俚語、典故、專有名詞、術語，甚至標點，都要使喚自如，唯我獨用，又要使人不陌生，讀起來只覺得天然自成，而風味風格，卻使人無從模仿——這，才算是文學家。僅僅計較詞彙豐富、恰當，頂多是個學者。

譬如鋼琴家，我們要求他不要彈錯，那他沒有彈錯，就算成功嗎？安東·魯賓斯坦自己承認，演奏時一半音符是在地上。怎麼辦呢？大家去撿音符？

我不佩服休姆的論調，太起碼了。福樓拜呢？福樓拜是太老實了，話又沒講清楚。他自己寫作時，才不只這個拿來教莫泊桑的土法子。達文西用色，把顏色用秤子稱了，再調，以區別色度，但實際畫起來，早已忘其所以。

我曾說：格言是給別人用的。大家都記得某人的某句格言，認為很有啟發，以至終生受惠，卻不知寫格言的人自己未必用的。

休姆，英國著名哲學家、美學家。與龐德共創意象主義。一九一四年投筆從戎，死於戰場。

最後講一位女詩人。

艾米・洛威爾（Amy Lowell，一八七四－一九二五），美國著名詩人、文藝批評家，意象派運動後期的主將。世家後裔，未上學，全在家教。天資聰明，興趣廣泛，反抗世俗，特立獨行。二十歲後立志做詩人，十年間默默研究詩藝。一九一二年出版詩集《五彩玻璃的圓屋頂》（*A Dome of Many-Coloured Glass*），此時意象主義風行歐美詩臺，她很快與龐德等結盟入夥。雖然她對這個運動起不了太大影響，但她執著、自信，成為真正有創造能力的意象派詩人。

一九一四年龐德走了，她團結剩下的意象派詩人，主編年刊，苦苦支撐，成為後期意象派的領導人。著作：《劍刃與罌粟籽》（*Sword Blades and Poppy Seed*）、《男人、女人和鬼魂》（*Men, Women and Ghosts*）、《浮世萬象》（*Pictures of the Floating World*，又稱《浮世繪》）、《東風集》（*East Wind*）。

她研究美國和法國詩人，著有《法國六詩人》（*Six French Poets*）、《美國現代詩歌趨勢》（*Tendencies in Modern American Poetry*）。也研究過英國浪漫主義詩人濟慈的生平和詩作，著有《濟慈傳》厚厚兩大卷。

這件事令人感動。濟慈詩不多，命又短，而竟遇到知音，為他耗盡心血寫了這樣長的傳記，太有幸了。

第69講

意象主義（二）

奧爾丁頓 《查泰萊夫人的情人》 杜利特爾　威廉斯　葉賽寧

1993.1.9

我看《金瓶梅》中的性，不高明。《查泰萊夫人的情人》中寫性，也詞不達意。不通的。官能世界無法和藝術世界溝通——可能這把尼采逼瘋了；他想把酒神精神放到藝術中，放不進。他不知道，酒神精神只有通過感官才能實現。

性，是神奇寶貴的生命的唯一可能。

可是性被濫用了。罵人、強姦、侮辱人、欺凌人，都用性，是人類最可恥的一大敗筆。

如果藝術家創作時是艱苦的，得到名利後才快樂，那我不做藝術家——我創作時已經快樂啦！名利如果有，那是「外快」。

藝術是Cash，不是Check。

英國意象派作家

上次講意象主義：它的發生、發展、特點、主要人物。今天繼續下去。

理查德·奧爾丁頓（Richard Aldington，一八九二—一九六二），英國詩人、小說家、批評家、翻譯家，同時又是新聞記者。加入意象詩人集團，與美國意象派詩人希爾達·杜利特爾女士成夫妻。兩夫婦協助龐德出版詩集。

一九一六年，他志願參軍，受傷後回來，出版詩集，反戰。此後主要從事小說創作。一九二九年出版長篇小說《英雄之死》（*Death of a Hero*），同情戰爭中無辜死者，是英國傑出的反戰小說。一九三〇年出短篇小說集《通向光榮之路》（*Roads to Glory*）。一九三三年出版長篇小說《人人都是敵人》（*All Men Are Enemies*），寫戰後迷茫的一代。再後來，創作一些新的作品人物，個人主義懷疑論者，雖不成熟，但都在找目標。

一九三七年與杜利特爾離婚。一九三九年僑居美國。一九四六年到法國，後卒於法國。最著名作品是《阿拉伯的勞倫斯》（*Lawrence of Arabia*），批評英國假裝拯救阿拉伯。

我讚賞奧爾丁頓，是他保持傳統，英勇地和現代文學的反傳統辯論。正面見解：藝術要尋找本質，用鮮明合度的形式，把本質表達出來。

英國的勞倫斯，曾風行一時，我們年輕時爭看。

D·H·勞倫斯（David Herbert Lawrence，一八八五—一九三〇），詩人、小說家，也寫戲劇、散文。《查泰萊夫人的情人》（*Lady Chatterley's Lover*）使他馳名世界，許多人卻不太知道他也寫詩和散文，是意象派作家。

出身貧家。父為礦工，酗酒。母親是小學教員，常和父親吵架。家庭不和樂，母親全心愛他。他靠教低年級班的薪水讀完書，以教職謀生。後來寫小說《白孔雀》（*The White Peacock*），登出來了，決心當文學家。在大學愛上教授夫人，寫很多情詩。後來教授夫人拋棄丈夫和三個小孩，與他私奔歐洲大陸，後又去過澳大利亞和美國。兩人情感誠篤，從此勞倫斯多產，成四十多本書，終死法國。

勞倫斯的文藝觀。他說：詩、小說，應該直接表現主客觀事物，表現有血有肉的意象，排除宗教、哲學和道德說教。

他特別重視官能作用，排斥理性作用：

血和肉比智力更聰明，我們頭腦中所想的可能有錯，但我們的血所感覺到的，所相信的，所說的，永遠是真實的。

這是詩的、文學的說法。我同意勞倫斯，卻要補充：

血和肉果然比智力聰明，可是沒有頭腦，生命會被血肉所斷送，這也「永遠是真實的」——我十分願意不聽智力，聽從血肉，生命當然快樂、瘋狂，但我不敢。我不放縱，還是靠頭腦生活。見到勞倫斯，我會對他說：「你也不敢。」

《查泰萊夫人的情人》（一九二八年出版）是他最後一本小說，一出就被禁。英國一直禁到一九六〇年——中國三十年代就出此書譯本。

這書好在哪裡？

儘管描寫性，它還是小說。如今以性掛帥、拼湊成小說的書，抽掉性，潰不成小說。

《金瓶梅》、《查泰萊夫人的情人》，是小說。

人是有情動物，人的世界就是有情世界。男女之愛是情之一種，男女之愛至上者，是排除其他愛、其他情的。所以戀愛至上者不是自殺，就是情殺。

性行為是什麼？是多種愛的表現中的一種，而且是低級的行為。憑什麼說是低級呢？

請問：強暴是性行為嗎？誰也不能不說一聲「Yes」，不然不成其為強暴；強暴是愛嗎？誰也不能不說一聲「No」，因為是愛，就不成其為強暴。就這樣，我斷然把性行為判定為愛的低級的行為。

人的肉體的快樂，是用眼耳鼻舌身（佛家語）分別享受色香味。要說狂熱、陶醉、銷魂——那只有性欲的滿足才可能達到極頂，享受肉體的最高快樂。

音樂、宗教、建築、舞蹈等等，是精神上的享受，也能使我們狂熱、陶醉、銷魂，但和肉體無關。肉體在精神活動中無動於衷，胃痛的，照樣痛。手觸火，痛；手觸畫，沒有感覺。耳朵並不懂音樂，眼睛並不懂繪畫，藝術，不給肉體什麼快感，是純靈智的。

D．H．勞倫斯，《查泰萊夫人的情人》作者，一九二八年出版，在英國一直禁到一九六〇年。

人和藝術的關係，是和日神的關係：清明、觀照。狂熱的陶醉，是酒神精神。

神離我們太遠。夢近點，藝術更近——再近，近不了了。

有人不肯罷休的，還要近——只有神，只有夢，只有藝術，只有理想、想像、智力、經驗，而沒有本能、直覺、欲望，是不成其為人的。這就要說到尼采所想像的「酒神精神」，這種精神，只有性欲的高潮才能真正達到。可憐這兩位藝術的「酒神」：尼采、貝多芬，在性欲上都沒有達到極樂。這是太隱私的事，所以大師們誰最配為酒神，不知道。

官能世界和藝術世界，是不通的，是兩個世界。

我看《金瓶梅》中的性，不高明。《查泰萊夫人的情人》中寫性，也詞不達意。不通的。官能世界無法和藝術世界溝通——可能這把尼采逼瘋了；他想把酒神精神放到藝術中，放不進。他不知道，酒神精神只有通過感官才能實現。

性行為是寫不好的。宿命地寫不好的。

酒是什麼味道？菸是什麼味道？文字描寫官能，是無能的。長篇大幅性描寫，是缺乏小說的自知之明，又缺乏性欲的知人之明。

我們所處的宇宙是無情的物質環境。在這客觀上無情、主觀上絕望的環境中，人的最高的快樂是肉體的官能的刺激，是性欲的追求和滿足，這滿足的一剎那，足以與宇宙的虛無絕望相抗衡。僅此一剎那，無所謂存在不存在，無所謂虛空不虛空，無所謂絕望不絕望。

性，是神奇寶貴的生命的唯一可能。

可是性被濫用了。罵人、強姦、侮辱人、欺凌人，都用性，是人類最可恥的一大敗筆。

人類也能把崇高純潔的愛情，豐滿強烈的性欲，產生出光華燦爛的奇蹟。什麼奇蹟呢？就是情人間的性欲的滿足，和藝術豁然貫通了，藝術世界與性欲世界，渾然一致了。

偉大的情人就是詩人，偉大的情人就是聖人。愛和性一致，就是酒神精神。

湯顯祖信中說：智極成聖，情極成佛。

性只有在愛情前提下，是高貴的、刻骨銘心的、鑽心透骨的。愛情沒有性欲，是貧乏的，有了性，才能魂飛魄散、光華燦爛，補足了藝術達不到的極地。一個人如果在一生中經歷了藝術的極峰，思想的極峰，愛情的極峰，性欲的極峰，真是不虛此生。

紀德、華格納，可以是例子。紀德是從新教徒逐步上升為性的智者，在他的《地糧》中透露不少玄機。華格納，他是真能在藝術、愛情、性欲三者的邊緣，來來去去。

我的作品中很少寫到官能，幾乎不寫性。不是膽小，是我覺得那是不能寫的，寫不好的。《魂斷威尼斯》，作者想把藝術、愛情接通，結果接不通：讓主人公殉道了，死了。

藝術可以做主，愛情無法做主的。可是藝術又和人沒關係：人對藝術是單相思的，藝術自己不知道。人呢，戀人們是Face to Face（面對面），一聲No，全完了。Yes！噢！

不過還可以講下去。愛情再好，是終要厭倦的。再找？人生的麻煩就是這樣。

「言而不盡」——賞藝術，品人生，分析世界，都要為對象留餘地，為自己留下餘地。蘇東坡和米元章交往，知道米的書畫極好，待看了他作的〈寶月觀賦〉，說：「恨二十年相從，知元章不盡。」

諸位要與蘇軾、米芾一樣，有被瞭解不完的品性——你們以後去歐洲，要能知意大利不盡，知法蘭西不盡，就是有餘地了。

要謙遜。謙遜是一種彈性。

美國意象派詩人

美國意象派詩人希爾達．杜利特爾（Hilda Doolittle，一八八六－一九六一），筆名「H．D．」。在倫敦定居期間，正值意象主義興起，她學的是古典文學，當時提出要師承希臘傳統。精通希臘文、拉丁文，翻譯了很多古典著作。自己有詩作《海上花園》（*Sea Garden*）、《婚姻女神》（*Hymen*）、《紅色銅玫瑰》（*Red Roses for Bronze*）。西方論家以為杜利特爾最符合意象主義原則，有古典風，端莊凝練，喜用古希臘格律。

這現象，出現在本世紀四十年代——回頭看中國，當時就沒有這樣的詩人。西方每隔一陣就回一回古典傳統，源流不斷。中國自「五四」之後，就斷了——中國古代，也常回古典傳統——這文化沙漠會長久沙下去。

中國現在的繁榮景況，表不及裡。這還不要緊，可以由表及裡——我想的，是無裡可及，沒有裡。文化的死亡，說明國民性的脆弱：國民性強，文化在，可以禁得起折騰，毀壞後，又可以重建。

退好幾步講，與其「文革」時期的水清見底，不如現在的渾水好摸魚。

杜利特爾以寫詩著名，也寫過小說，有《祝福我永生》（*Bid Me to Live*），自傳性的，寫到D．H．勞倫斯。據說，杜利特爾、奧爾丁頓、勞倫斯，一度是一起生活的，是「平等的亂倫」、「共夫共妻」，快樂過一陣，後來分手了。

美國詩人：威廉．卡洛斯．威廉斯（William Carlos Williams，一八八三—一九六三）。這人很有意思的。生於新澤西，行醫，業餘寫詩。得過很多獎，美國官方任命圖書館館長，他拒受。在鄉間，人們叫他會寫詩的醫生。

威廉斯開始創作時，受到意象派影響。他反對T．S．艾略特的詩風。有意思的是，艾略特反對浪漫主義，大功德出來後，又有威廉斯反他：何必全是世界性，鄉土東西照樣好。

那是因為威廉斯寫得好。他喜歡寫情感的直覺經驗，不用比喻，有自傳長詩六大卷。

小詩一例（〈紅色手推車〉〔The Red Wheelbarrow〕）：

那麼多東西
全靠
一輛紅輪子的
手推車
雨水淋得它
晶亮
旁邊是一群
白色的小雞

這種東西，中國、日本，早就有了。文學到現在，都用比喻、形容詞，積重難返。陶淵明的秘訣，直寫印象：

微雨從東來
好風與之俱

好像有點意思，想想又沒意思，再想想，還是有點什麼意思：那種進進退退，有意無意，最是藝術家的氣度、涵養、性情，是文學的非常逸樂的過程。

最近自編散文集，自我鳥瞰：喔喲！話太多了！可是想想，要是不說呢？喔喲，肚子裡話多著呢！

以後盡量減少形容詞，減少比喻，歸真反璞。

後來威廉斯在美國詩臺取代了艾略特的地位。艾略特如日中天時，他出來了。精神世界真是一浪接一浪。

俄國意象派詩人

到俄國走走。

謝爾蓋·亞歷山大羅維奇·葉賽寧（Sergei Alexandrovich Yesenin，一八九五—一九二五），俄國的韓波。在世界詩人中，韓波、馬雅可夫斯基、葉賽寧三人，長得最漂亮。葉賽寧像天使，韓波無確切照片畫像可參考，一張一個樣。

十月革命前，詩作充滿田園氣息。十月革命來了，他又不懂革命，以為農民就是好（他是農家子弟），於是「萬歲！革命！」一邊參加革命，一邊參加意象派——等於帶著一個漂亮女人去參加革命——怎麼行得通！

不過他在革命中還能明白表示觀點，不像我們當時悶聲不響，默默保持觀點。現在看，海涅、葉賽寧，是先知。

海涅：革命一來，我的藝術世界要完了。

葉賽寧：機器王國要破壞整個大自然。

海涅是藝術之子，葉賽寧是大自然之子。與他們比，我當時是拼命讀書、觀察，一聲不能響。他們還能叫叫。不過他們很快就死了，我活下來。

他先跟革命走（自我偽善），後來忍受不了，一九二五年底在一家旅館裡吊死。絕命書寫得乾脆：

死不算新鮮
活也不是奇蹟

他不知怎樣愛自己，最後把自己殺死，我看他是自戀者的情殺案。

他真是詩人，借景抒情，想像大膽，只有俄羅斯能出這樣的詩人。當時一死，定性反革命，作品打入冷宮，直到五十年代才解禁，大家很喜歡。不必為天才擔心。天才會復活的。葉賽寧不是大天才，是一個詩人，他可以復活，其他天才更能復活。

李夢熊六十年代曾對我說：現在不是藝術的時代。是的。但什麼時候是？如果藝術家創作時是艱苦的，得到名利後才快樂，那我不做藝術家——我創作時已經快樂啦！名利如果有，那是「外快」。

藝術是Cash，不是Check。

聽貝多芬《命運》，他是懂，痛苦中來。禪宗小焉者，公案，不過是笨人逼出了靈感。宗教家哲學家藝術家——藝術家聰明多了。多少經歷。

佛家只是坐在那裡，打坐，算什麼。

所謂觀念藝術，其實就是所謂公案。

第70講

存在主義（一）

齊克果　胡塞爾　海德格　沙特

1993.1.24（年初二）

哲學根本就是一個褻瀆神明的事。對於我，哲學的起點終點是：一顆星球要來撞地球。那麼，有神論無神論算什麼？

不要以為哲學裡可以找到真理。那是黑房子裡捉一隻黑貓。哲學家不過是想盡辦法說，說得別人相信。黑房裡捉黑貓，還是比喻不對，是一群哲學家在黑房子裡你撞我、我撞你，黑貓呢，從來就沒有過黑貓。

沙特的存在主義有三項（或謂原則）：存在先於本質；自由選擇；世界荒謬，人生痛苦。

存在主義及存在主義文學

今天講存在主義（Existentialism）。在本世紀，存在主義是件思想界的大事。三十年代末、四十年代初，存在主義是在法國興起的文學流派，以沙特為代表。後來成了二十世紀現代文學主潮，席捲西歐，波及南美北美，二戰後，勢焰更盛。

「存在主義已像大氣壓一樣，到處存在，成為知識分子中占統治地位的精神潮流。」匈牙利學者盧卡奇（Georg Lukacs）說。

存在主義初為哲學界的一個哲學名詞，概念限於哲學。沙特出來後，研究齊克果、胡塞爾、海德格、雅斯貝斯等人的「存在」學說，以他豐富的別具一格的文學著作、政治論文，從存在主義哲學原理，形成一種文學觀點、政治態度、寫作方法。他本人還參與很多社會活動。

當時社會正期待這麼一個人物，一個宗師，需要有人出來，對戰後不知如何是好的青年說話，引路，正好沙特是這麼一個人物。

現在不太有人提存在主義了。當時，可不得了。中國，七、八十年代有一群青年人偷偷在講存在主義，很信服，硬把我也拉進去，我說，我不是。

什麼是存在主義文學？以存在主義哲學為核心的文學活動。存在主義的內核，是存在主義哲學，存在主義的外形，是存在主義的文學。一個哲學概念和一個文學流派一起發生、發展，這在文學史上沒有過。

存在主義的鼻祖是誰？不是沙特，是十九世紀的齊克果。這位哲學家很特別，用小說、散文來間接傳達他的哲學觀點，不直接用哲學方式寫。

所以存在主義一出世，就和文學結下不解之緣。我的說法是，存在主義這個嬰兒，是穿著衣服誕生的。沙特的文學成就，我是佩服的，他的〈牆〉，實在是寫得好。

沙特是無神論的存在主義者，齊克果是基督教的存在主義者。存在主義是從有神論慢慢過渡到無神論的，在這過程中，有個過渡的人物，胡塞爾——我們往往不知道胡塞爾的過渡、齊克果的起緣——沙特曾在胡塞爾門下做學生，後來成就超過前輩。

存在主義文學的代表作家，沙特之外，還有卡繆、西蒙．波娃。沙特有好幾大聰明：他和西蒙．波娃那麼好，但不結婚，聰明！諾貝爾獎給他，他不要，聰明！他這些聰明，是非凡，所以我稱他是當代的騎士。他長得難看，又崇拜「文革」，我起初討厭，後來看了作品，還是佩服他。

還有雷蒙．蓋蘭、本雅明．豐達納，這兩位在法國也很有名，但屬存在主義邊緣作家。此外，意大利、秘魯、印度、日本，都有存在主義作家。《大英百科全書》把卡夫卡也列入存在主義作家。

五十年代卡繆思想轉變——整個說來，存在主義是「左傾」的——他和同志們辯論，「右傾」了。六、七十年代，存在主義日薄西山。一九八〇年沙特死，存在主義思潮亦結束。

但作為影響，存在主義對將來還會不斷有影響。

條理化地探探存在主義。

齊克果——人生三階段：美學、倫理、宗教

齊克果（Søren Kierkegaard，一八一三—一八五五），是大家。要簡化他的思想，做不到。丹麥哲學家齊克果，被稱為「基督教存在主義」。這哲學要追溯到希臘哲學和基督教神學傳統。巴斯卡、蒙田，都得追溯到。

他的哲學和「教義」，密切聯繫。他有部著作《非此即彼——一個生命的殘片》（*Either/Or*），很有代表性。主題是：人的存在與發展有三個階段：美學階段、倫理階段和宗教階段。其中，對生活的美學觀點、倫理觀點，兩者一定要選擇其一。人生道路，不可能既是美學觀，又是倫理觀。

這問題大了。從古到今，到未來，這是一個老要糾纏下去的問題——老莊，美學觀點；孔孟，倫理觀點；嵇康，自己是美學的，教兒子是倫理的。

要我的說法，一是審美情操，一是義務責任。結婚，就是倫理，義務責任。

我平時的所思所想所言，都是審美的，只能放棄義務責任，我出國，五個外

甥，一個也不寫信。人家出國，急忙給家裡寫信。

最近讀了兩遍《尼采傳》（丹尼爾・哈列維著）。他還是太老實，所以苦。我是複雜而狡猾，比較能苦中作樂。他大概沒有讀過東方人的東西。他的超人，還是創造了新倫理道德。他太看得起人類，太西方，太德國。

再談齊克果：那本書，提出人生三階段。其一，美學；其二，倫理；其三，宗教。拿兩個人相愛來寫如何體現這三階段：先是相愛不能結合，因外界阻止；後是兩人理解不同，一者是審美的，一者是倫理的；最後，悲劇表現在兩人氣質不同，一者認為忍受命運，一者是要反抗命運。

這本書的概括力量驚人。這三階段，我都經歷過。大家都經歷過。

在中國的環境中，這三種階段的矛盾更激化。如兩人都審美情操，但社會不允許；如對方以倫理回報我，我認為他不解，有一方忍受命運——最後毀滅。

這三階段，不是指個別，是指全人類。

我認為，這三階段不是逐個分階段，而是同時存在的。

他是有結論的，認為先是審美，後是倫理，再進入宗教。我稱他為齊克果的「丹麥式的天人合一」。怎麼回事？他先是攻擊黑格爾，認為「存在」是不完全的，不可能單憑理智就能理解的。他不承認黑格爾的「體系」，他說：

> 在最熱情的獻身精神中堅持客觀的未定性，就是真理，就是對每個存在著的人的最高真理。

黑格爾把存在和思想是同等對待的。而齊克果認為，同等對待存在與思想，使信仰失去了地盤，這樣，基督教僅僅成為一個環節。他感到上帝指定了一個任務給他，但任務是什麼，人不知道，不明確，要靠人自己去努力，才能知道這任務是什麼，並去完成它。

這說法很有魅力的，狡辯的，詩意的，餘地很大。他說：

> 哲學不是研究客觀世界，而是研究個人的主觀的「存在」，個人「存在」無法擺脫痛苦、危機、荒誕，所以唯一的出路便是棄絕理性，皈依上帝，達到神和人的統一。

齊克果，丹麥哲學家，提出人生三階段：美學、倫理、宗教。

這就是我前面所說，齊克果的「丹麥式的天人合一」。一次大戰後，他的書影響很大。

他哪兒也不去，只去過一次柏林。自作孽。做哲學家，不如去餐館打工——哲學家不過也是餐館打工，老闆是上帝。上帝很兇，尼采不老實，瘋了。

胡塞爾——現象學要義

後來出了胡塞爾（Edmund Husserl，一八五九—一九三八）及他的「現象學」（Phenomenology）。他認為現象學（其實就是哲學，他換個說法，新了，賣價高了）是對純粹意識的肯定。純粹意識對世界做了簡化（世界本身，被放到一個括弧裡），對這個世界只有直覺能夠把握，這又像是柏格森的說法。

我的說法是，「直覺」像扇門：一邊推開——有神論，一邊推開——無神論。有神無神都爭「直覺」這扇門。藝術家是靠直覺創作的。

而天才愈大，愈是不肯承認有神論無神論——歷史上四例：達文西、米開朗基羅、托爾斯泰、杜思妥也夫斯基，都不肯承認。一會兒有神論，一會兒無神論——不是神出鬼沒，而是神出神沒——我是小藝術家，也不肯承認：你們看，我一會兒有神了，一會兒無神了。

蒙田說：我的頭腦是清醒的，我的膝蓋是軟弱的。

達文西的學生說有兩個達文西，他一會兒有神，一會兒死不肯說。

當時的宗教，比二十世紀極權統治還要厲害。你不信神，要燒死的。人長得美麗，美姑娘，完蛋。哪裡出了事，都推到美女身上，吊死、燒死。這些美女今天可以去做模特兒，每天不給五百、五千美元，不起床。

放棄任何涉及客觀現實的、超過任何純粹經驗界限以外的判斷——這就是現象學的簡化。不把認識主體看做是現實的、社會的、心理的存在，而是把它看成是純粹的，即先驗的。

以上是胡塞爾的現象學要義。是反理性的。

而西方傳統經典是理性主義延伸，這條路線是蘇格拉底、亞里斯多德、柏拉圖一路下來，認為理性是可以認識世界的。到馬克斯，認為不但可以認識世界，而且可以全盤解決世界的問題。

尼采第一個看出理性主義的禍害，在大學講演時，底下一片轟動。但他沒有能全面攻擊理性主義。他有詩人氣質，但詩才不行。

我說：「詩是天鵝，哲學是死胡同。天鵝一展翅，全都碰壁。哲學家全是壁虎。」

當時波特萊爾出來了，尼采就讚美。

胡塞爾構成了非理性主義的哲學體系。這無疑是功勞。他否定了客觀世界的真實性、物質性、可變性。這原是哲學家一廂情願臆造出來的。

哲學，到頭來是哲學家的性格表現——唯物主義者的性格，都剛愎自用。

胡塞爾這一步，對海德格、沙特產生巨大影響。

海德格——無神論存在主義

現在輪到海德格、雅斯貝斯。

海德格（Martin Heidegger，一八八九—一九七六），是個龐然大物。劉軍當時要進去，我勸他別進去。我只能點點，點到為止。

說句笑話：愈是大師，愈是怕點。跟他駁、辯，勞民傷財。一點，點到要害，他可以癱瘓。

這種點穴道，是缺德的。如果以後有人說「木心是以這種缺德顯大德」，就好。

雅斯貝斯（Karl Jaspers，一八八三—一九六九）主張「存在」是對上帝的追求，認為哲學應從人出發，認為個人處於極為難的絕境，應通向上帝。

海德格是無神論存在主義。他關心「存在」的意義，認為人所處的世界是無法理解的世界，他關心人是如何「存在」的，人孤立無依，永遠只能惶恐憂慮。

如果他到此為止，他是個誠實的哲學家，是另一個叔本華——他不停，說：這種憂慮惶恐可以揭示真理存在，人有選擇和自我控制的自由——如果他到此為止，還是一個超人哲學的繼承者，是悲觀主義發急了，想要超越，橫豎是理想主義，不能推廣，不能實現的——他還不停，說：憂慮恐懼通向存在，存在是光明的，這光明通向上帝。

我認為世界上不存在超人黨、超人俱樂部。真正的超人，不需要讀超人哲學。超人存在於超人哲學之前。超人俱樂部進進出出的不是超人，是小人。

海德格是花最大精力、最權威的研究尼采的，但沒有尼采的性格，沒有尼采的血，走不了尼采的路。西方都說他是尼采最好的解釋者，我不做聲——後來他說了：憂慮恐懼使人通向存在，存在是快樂光明的，最大的快樂光明是通向上帝。

我的俳句是：「哲學的水落，神學的石出。」

繞這麼大彎，幾百萬字地繞，原來無神論是這樣的！

中國的魯迅、王國維，都崇拜過尼采，後來一點尼采的影子也沒有。王國維說尼采比成吉思汗偉大——這說到哪裡去了。

所以我說，海德格選了一個更大的窩，等他那個養胖了的上帝。

哲學根本就是一個褻瀆神明的事。對於我，哲學的起點終點是：一顆星球要來撞地球。那麼，有神論無神論算什麼？

我們現在所處的空間時間，憑我們對天文宇宙的知識，人和宇宙是不成比例的。太空中那麼多黑洞，還有比太陽多五千億熱度、十萬八萬倍的星體——這些，耶和華管得了嗎？

所以愛因斯坦說：有人形的上帝我是不相信的。

科學知識足夠埋葬神學，接下來還要結束哲學——不過話說回來，海德格是不可輕視的，他下的功夫極大極大。

*

（休息。木心講笑話）戰國時代，我一個打火機可以讓秦始皇嚇破膽。荊軻刺秦王，應該手拿打火機先嚇一嚇，然後把劍刺下去（學嚇人、刺劍的動作）。

西方、東方，應該結婚，看看能不能生出超人。

西方人凡通一通東方的，好得多，好像吃了中藥一樣。現在中國人不太吃中藥了，傻了。

西方人種是好。電視裡一個小男孩跳出來，哈哈一笑，真是天堂笑聲。一笑，孔雀開屏了，唰的一下全撐開，然後抖，簡直華格納！

沙特——存在先於本質、自由選擇

法國分三派：沙特，無神論的存在主義；梅羅．龐蒂（Maurice Merleau-Ponty，一九〇八—一九六一），人道主義的存在主義；加布里埃爾．馬塞爾（Gabriel Marcel，一八八九—一九七三），基督教的存在主義。沙特、龐蒂，有所相通，加布里埃爾是齊克果的繼承人。沙特勢力最大。所以主要講沙特。不要講起存在主義以為只有沙特，不是的。

沙特的存在主義有三項（或謂原則）：存在先於本質；自由選擇；世界荒謬，人生痛苦。

很多至理名言，如果心領神會，不多嘴，是滿有味道的，然而人總歸要求解釋。一解釋，就跌價，味道不對了。我愛寫作，不愛演講，一講，就跌價——現在要講，只好跌價。

人存在著，自己做選擇。後來呢，本質顯現出來：世界是荒謬的，於是痛苦——這是我的通俗解釋，大跌價。這裡是粗粗講講。

一九四三年，他發表《存在與虛無》，建立了自成一家的存在主義體系。書中提出「存在先於本質」，後來人們從各種不同角度解釋。這個公式，我年輕時看到，覺得不新鮮——佛家的因果律，唯物主義的物質第一性、精神第二性，還有笛卡兒的公式「我思故我在」，倒一倒，就是「我在故我思」——都可參考。

他又講：存在主義是一種人道主義。他講，人存在，首先遇到自己。人之初，是空白的。後來露面，要造就自己。人不是上帝造就的，人是自我感覺到，然後存在。總之，存在先於本質。

我覺得也講得通，但有什麼意思呢？平淡無奇。

而且，人是決定自己的嗎？我想成為鋼琴家，環境不允許，於是自己無法決定。可是後來，音樂修養還在，我和音樂還是同在，這不也決定了嗎——哲學就是這個東西，講來講去，怎麼講都可以，所以我厭倦了哲學。

我少年時為了學哲學，吃足苦頭，一字一句啃經典，不懂的地方總認為自己笨，只好死讀硬讀。特別是黑格爾，一次又一次讀，後來關在地牢裡，花三個月，第三遍讀完了《小邏輯》，書上被我批得密密麻麻，好像有點悟了。

不要以為哲學裡可以找到真理。那是黑房子裡捉一隻黑貓。哲學家不過是想盡辦法說，說得別人相信。黑房裡捉黑貓，還是比喻不對，是一群哲學家在黑房子裡你撞我、我撞你，黑貓呢，從來就沒有過黑貓。

這就是我的哲學。要是說得文縐縐，叫做「無真理論」。

第二項核心，被認為是沙特的精義所在：人是自由的。人即自由——他反對任何決定論，在任何環境都可以自己選擇。如果不能自己選擇、決定，就不算存在。

從內心講，你可以批判、對抗，沒人可以控制你的頭腦，但碰上「文革」，你能選擇嗎？能決定嗎？不過沙特不是指這些環境決定，他指的是他通過自己判斷來決定選擇，然後他要對自己的選擇和決定負責。

這段看起來很對，但很片面。沙特，你有律師嗎，如果你犯了罪？

現代知識分子，二戰後，極度混亂。老子哲學起了良好作用，但只限於一小撮人。老莊是出世的，而存在主義是入世的。所以從歷史角度來解釋存在主義，它有功。它通俗易懂，將人生難題一把抓起來，在當時是有用的。所以我說存在主義是擺地攤，比到大公司買東西實惠。

哲學是個手杖，藝術家是舞蹈家——也有用，手杖有時可以打人、打狗。我用手杖是為了風度，拍照需要。

沙特在文學上不愧為好樣的，在政治上參與，有時瞎起勁，幫倒忙。中國沒有受存在主義好處，也沒有受存在主義害處。

沙特哲學的第三原則，下一課再講。總之，存在主義是大眾哲學。這些不懂，太差了。哲學不是手杖嗎？用得好，可以成為知識分子的脊梁。脊梁能硬得像手杖，多好。

哲學又是健身操，練好了，再去跳舞。

第71講

存在主義（二）

沙特《存在與虛無》

1993.2.7

法國人當時有句俏皮話，把存在主義叫做「咖啡店裡的特種飲料」。

二戰後存在主義之所以成為青年人的思想主潮，是有其深意的。存在主義試圖恢復已經失去的人的價值，要求人選擇和掌握自己的命運。

叔本華的悲觀主義、尼采的超人哲學，是一種高貴的欣賞品，一種美味的滋補品，但存在主義是實用的救濟品。

沙特——世界荒謬、人生痛苦

上次講到沙特存在主義有三原則，已講前兩原則，今天講第三原則。回顧：一，存在先於本質；二，自由選擇。我以為這是大眾哲學，勵志哲學。為什麼？對二戰後的歐洲起過安撫作用。進取性很強。所以我會很不禮貌地把存在主義指名為「大眾哲學」、「勵志哲學」。一九四九年前上海流行所謂「勵志哲學」，民主人士還成立「勵志社」，社址好像就在淮海路、雁蕩路那裡——這就是我不反對存在主義的原因。

叔本華認為自由是不可能的——意志是自由的，人不自由，可是悲觀主義不實用。沙特的存在主義，說穿了，是實用的悲觀主義，悲觀主義的實用主義——但只能下面說說，不能說出去。爭也爭不過來。

超人哲學是個人的、英雄的，借佛家語，是小乘。沙特的哲學可謂大乘。我以為大乘是對小乘的誤解。小乘真實，是個人自己超度自己。

尼采的道德觀，就分偉人道德、奴隸道德。

現在來講沙特哲學的第三原則：世界是荒謬的，人生是痛苦的——第一原則，是理性分析。第二原則，從悲觀裡跑出來。第三原則，又回到悲觀主義。這是硬撐起來的面子：人不是神創造的，所以要自由選擇。但沙特忘了，或不提「命運」——譬如伊底帕斯，他殺死作為敵方的王，自己選擇了王位，又選擇了王后，哪知所殺的是他父親，所娶的是他母親，最後他把自己的眼睛挖了。當然，這是伊底帕斯的最後一項自由選擇。

命運，高於一切，高於神。

第二原則，只能看做鼓勵士氣，讓青年奮鬥，談不到真理、哲學。一個年輕時代的存在主義者，到晚年會滿意自己的選擇嗎？

哲學是什麼？哲學家的遁詞無非和科學家的結論一樣：科學家說，宇宙是無限的，也是有限的。那麼，哲學家的選擇是自由的，又是不自由的——但哲學家不講後面這句話。

康德的二律背反，實際上已經講出了真理是不存在的。康德是客客氣氣的無真理論，我是不客氣的無真理論。但說出去，要圍攻的。圍攻不怕，但無聊。

沙特三原則：第一，孤立的；第二，搖擺的；第三，否定的。

但第三原則最真實——世界荒謬，人生痛苦——否定了第一、第二原則。這是不能改變的。沙特滿老實的，他知道「自由選擇」可以使人選擇為善，也可以使人選擇作惡。他悲傷地說：

明天，在我死後，有些人可能又打算建立法西斯，而別的人可能變得很懦弱，隨隨便便，聽憑他們為所欲為。那樣，法西斯主義又成為人類的真理了。

沙特不但老實，而且聰明。他明白，自由選擇的那個人是沒有支撐點的。我存在，別人也存在，每個人都有他的思想和意志，都有「主觀性」。所謂社會，就是「主觀性」的森林，人人都是其中的孤獨者。

我看到存在主義時想：存在主義行，沙特不行。他那張臉你看看。

第三原則最真實。

他的三原則，是三條直線。單憑這三原則，是成立不了哲學體系的。二戰後存在主義之所以成為青年人的思想主潮，是有其深意的。存在主義試圖恢復已經失去的人的價值，要求人選擇和掌握自己的命運。這個，有好處。他要把上帝、命運，都否定掉，重新規定人的本質、意義、價值，由人自己的行動來證明、來決定、來判斷。重要的是在於行動。他說：

人是自由的，懦夫使自己成為懦夫，英雄把自己變成英雄。

這是對的——在座都從苦難中出來，本來是應該被埋沒的，當個小市民，但大家都有一番成績，將來不同程度前程遠大，這，就是我們自己的選擇。

我自己出國，根本就是結結巴巴，好不容易，細節上處處作假，只為了出來。我的意思是說：所謂自由選擇，我們的選擇之苦、之難，沙特哪能瞭解。但我們每個人的經歷，都說明自由選擇是有的，可能的，《浮士德》的主題，永不休歇。中國的《易經》早就說：「天行健，君子以自強不息。」

叔本華的悲觀主義、尼采的超人哲學，是一種高貴的欣賞品，一種美味的滋補品，但存在主義是實用的救濟品。

所以不要宣傳悲觀主義，可以宣傳存在主義。不要忘記存在主義產生的年代：二次大戰先後牽涉六十多個國家，世界人口五分之四捲入戰火，數以千萬計的死者傷者，精神文化的遺產被摧毀。而在存在主義同期，中國知識分子如何？抗戰剛結束，大家忙於重建家園，我所看到的，沒有人思考根本的徹底性的問題。有種的，去延安，沒種的，參加國民黨所謂「戡亂」救國，既不去延安，也不去「戡亂」的，就在時代邊緣跑革命的龍套，跑得很起勁。我當時就是這樣。說這些，說明中國當時根本沒有思想家。

當時羅曼．羅蘭在法國，西方根本沒人讀，中國卻在大讀特讀。等到大量譯介存在主義，已是「文革」結束後的八十年代。中國的封閉落後，說來話長，現在再趕，趕得上嗎？

二次大戰，起因、結束，十年光景。戰後倖存的一代知識分子，知識很有限，因此很苦惱，這就是常說的「迷茫的一代」（The Lost Generation）——什麼是人的存在？人在世界上占何種地位？人應該如何看待這個世界？沙特的可貴，是拿存在主義理論去回答這些問題。存在主義確實適應了戰後的精神需要，使精神苦悶又不甘沉淪的青年找到支撐。

法國人當時有句俏皮話，把存在主義叫做「咖啡店裡的特種飲料」。一個普通的法國人，口頭也掛著存在主義的詞彙。直到今天，法國人還是感謝那個時代。

中國近代的大思想家，梁啟超、康有為、孫中山、陳獨秀、蔡元培、瞿秋白、胡適、魯迅，想的都是如何救中國、中國國民性是什麼等等，但是，戰後西方人的大問題——什麼是人的存在？人在世界中占何種地位？人應當如何看待世界——這些思想家很少想到。

中國的教育家、啟蒙師、思想家，是誰？最傑出的是魯迅，但他把生命問題縮小了，是「救救孩子」，他要救的那些孩子，就是後來申請入黨、開除出黨、又恢復黨籍、又退黨，如何如何……這些「五四」時期的老人，後來連「救救孩子」也不說了。

一句話，我老是講：宇宙觀決定世界觀，世界觀決定人生觀，人生觀決定藝術觀、政治觀、愛情觀……但是中國的政客是從政治觀出發，決定人生、世界、宇宙觀，然後拿來為他們的政治觀服務。

可是老莊就是從宇宙觀開始一路決定下來。

魯迅他們，是從人生觀半路殺出來的，世界觀不成熟，更沒有宇宙觀。他們往往容易為政治觀說服，拉過去。

國民黨的「仁義禮智信」、「新生活運動」，都是政治需要的倫理把戲。政治家，清一色都是樂觀主義，我謂之「不要臉的樂觀主義」。

列寧知道愛因斯坦出了相對論，焦急萬分，問黨內有沒有人可以駁倒相對論。

魯迅的世界觀、宇宙觀，有一度和佛教「Touch」了一下，就避開來，尼采也碰過一下，避開來。他們都急著要去建立他們的人生觀。

為什麼政客，有政見的人，都從來不問宇宙？避而不談世界？避不開時，像孔孟一樣敷衍幾句？他們要欺騙人。進化論、樂觀主義，都是要騙人。研究宇宙、世界，必然涉及衰退、毀滅，必然導致悲觀主義。

文學家的樂觀主義是糊塗，政客的樂觀主義是欺騙，商人的樂觀主義是既糊塗又欺騙：目前的世界就是這個樣子。我們呢，要做既清醒又誠實的人。

哲學家的沙特

關於沙特的存在主義哲學，存在主義現象學，關於法國的、世界的存在主義流派，就講這些。講講沙特這個人。我對沙特這個人，是大有意見的。

讓—保羅．沙特（Jean-Paul Sartre，一九〇五—一九八〇），生於海軍軍官家庭。父早喪，母改嫁，家庭破碎。他被寄養在外祖父家。外祖父是基督教徒（和基督徒不同，前者要受洗，入教會，後者自己信），德語教師，寵愛沙特。沙特小時聰明，外祖父希望他成為神童。

他童年痛苦，沒有父愛母愛。孤獨，從小愛思考。後來埋頭讀書。這個過程，很正常。

一九二四年，十九歲，考進巴黎高等師範學院（這學院以後我們到巴黎應該去看看），四年後畢業。通過中學哲學教師的考試（這多好，教育之嚴格），第一名，西蒙．波娃當時考得第二名。

這時對胡塞爾發生興趣。一九三三年得獎金去柏林深造，受海德格影響，一九三四年回法國。成第一本存在主義哲學著作《想像》（*L'imagination*，1936），影響不大。初具存在主義觀點，不成熟。一九四三年，成《存在與虛無》（*L'Être et le Néant*），大著作，第一次提出「存在先於本質」。

這書可代表整個沙特思想，後來路走斜了。這時如去寫文學作品，也好，可是到一九四六年，出論著《存在主義是一種人道主義》（*L'existentialisme est un humanisme*），不行，說得很辛苦，多此一舉。

觀點是：人是自由的，沒有上帝，沒有先驗性，沒有客觀規律，人就是他自己造成的。

這也不過是《存在與虛無》第二部分——自由選擇。我只同意一半，即人該自己對自己負責。主觀能動方面（在座各位都做了選擇，但「文革」中無法選擇，是客觀造成的）有積極性，在客觀社會環境遭遇上，人是不自由的。所以我認為他的東西是勵志哲學，不能算是高度的理論，二律背反一來，就能反掉他。

一九四六年，在《現代》（*Les Temps modernes*）雜誌上發表〈唯物主義與革命〉（Le Materialisme et la Revolution）。從此文開始，沙特糊塗了。什麼唯心、唯物？什麼叫革命？名字就起壞了。他要把存在主義和唯物主義革命發生關係，我的說法，是他想把存在主義「過房」給馬克斯。

有說此書是馬克斯主義以後最好的詮釋著作，有的說是陰謀，想抵消馬克斯主義。

我認為《存在與虛無》是好的。到了《存在主義是一種人道主義》，畫蛇添足，後來不斷添足，愈添愈大，一九五七年，出《馬克斯主義和存在主義》（*Existentialisme et marxisme*），足大於蛇。

他說，與馬克斯主義相比，存在主義只能算是個思想體系。到一九五七年，蘇聯、東歐的事件，都出來了，他還看不出問題嗎？

一九六〇年，出《辨證理性批判》（*Critique de la raison dialectique*），宣布資產階級文化已經死亡（他為什麼不宣布無產階級文化也已死亡？）馬克斯宣稱過去的哲學是解釋世界，他的哲學是想改造世界。迷惑多少人。

這個世界被解釋對了嗎——無產階級被消費社會溶解了。階級鬥爭，看不到人性。電腦時代，還有什麼生產關係？改造什麼世界？現在多少國家的共產黨都

沙特，父早喪，母改嫁。孤獨，從小愛思考。一九四三年，成《存在與虛無》，首次提出「存在先於本質」。

沒了，沒戲好唱了。科學的發展也出乎馬克斯預料。他的剛愎自用，不可原諒。他是書齋裡的政客。資本主義是個不好的制度。它是沒有最高理想的，沒有目標的，永遠是經濟衰退／經濟復興這套循環。

馬克斯不適合做哲學家，他是個經濟學家，一個樂觀自信的進化論者——進化論者為什麼不說太陽愈來愈年輕？海水空氣變得愈來愈甜美？有營養？他們有臉說這個嗎？

說穿了，尼采的超人也還是進化論。

有個大問題，我們來解決它——當一種學說、思想出現，人類就想拿來當靠山。首先表現在宗教，其次表現在哲學。以中國例，儒家門庭，二千年來中國知識分子跳不出來。

章太炎晚年回到儒家，杜維明、余英時等等，口口聲聲孔孟之道。

沙特的馬克斯主義，也同理。西方相信馬克斯主義的人多得你不相信。「我們深信唯物主義對歷史的闡釋是唯一有效的。」這是沙特說的，口氣和馬克斯一模一樣。

我冷眼旁觀，回味韓非子的寓言：

鄭人買履，寧信度，毋信足。

沙特寧可相信馬克斯主義這個「度」，不相信存在主義這個「足」——宗教、哲學，都是這一類「度」。

可是當年歐洲少壯馬克斯主義者不肯要沙特這個過房兒子，說他歪曲、攻擊馬克斯主義，說沙特為不放棄存在主義，不可能認識馬克斯主義。

這件公案，真的很丟人。

為了這公案，我看不起沙特。存在主義滿大了，為什麼還要投靠馬克斯主義。他說，存在主義不能算哲學，只能在馬克斯主義哲學邊緣寄生——這是什麼話?!

不是他深奧，而是他淺薄，和馬克斯主義這樣子去糾纏不清。也許，正因為沙特沒有獨創性，所以沒有主見，沒有一貫的思想。與法共交好又分道揚鑣，六十年代譴責美國的越戰，抗議蘇聯入侵捷克，後來又支持紅衛兵，在巴黎貼大字報、簽名（他是「四人幫」在海外的得力幹將）。淺薄，非常情緒化。他歸附馬克斯主義，無大深意，不過是邪教入歸正教。

很感慨，真能獨立思想，不靠既成思想行路，是太少，太珍貴了。我感謝紀德。他讓我及早和羅蘭斷絕關係，又讓我不被尼采的烈酒醺醉。講到沙特，又想到紀德，他曾說：

如果有一生貫徹自己思想的人，請排出名單，我一定出來占一席之地。

我看不起那些朝秦暮楚的「思想家」，更看不起那些秦楚不分，或在秦楚之間亂攀關係的人。

一代宗師，可以不要一代。

第72講

沙特再談

文藝批評家的沙特　介入　境遇劇　政治家的沙特

1993.2.21

好評傳，讀過後，除非是傻瓜，人總會起點變化。好評傳作者，自己也給寫出來。沙特的三個評傳看過，等於看了三次沙特。

藝術家到底要不要介入他的時代？

我的回答：隨你便。

具體說：二流作家，最好介入；一流的，可介入可不介入；超一流的，他根本和時代無關。

雨果、華格納、沙特，他們的死後哀榮，尼采已經說了：「唯有戲子才能喚起群眾巨大的興奮。」

文藝批評家的沙特

上次講沙特作為哲學家是怎麼一回事，今天講作為文藝批評家，沙特又是怎麼一回事。他的文藝批評很豐富，有一本書，叫《什麼是文學》（*Qu'est-ce que la littérature*），是他綱領性的文藝理論著作。另寫過三本著名文學評傳：《波特萊爾》（*Baudelaire*）、《聖徒惹內：戲子與殉道者》（*Saint Genet, comédien et martyr*）、《福樓拜》（*L'idiot de la famille*）。

所謂評傳，是最有意思的——當然是指個別傳主。既要評，又要傳。「傳」是指人，「評」是指作品。全是傳，人多作品少，全是評，作品多，人少。我以後要寫曹雪芹，就要評傳。

中國李健吾寫的《福樓拜評傳》，很像樣的。他譯的福樓拜（作品）稍微有點油滑，但文筆非常好。

好評傳，讀過後，除非是傻瓜，人總會起點變化。好評傳作者，自己也給寫出來。沙特的三個評傳看過，等於看了三次沙特。

什麼是文學？沙特以為寫作就是揭露，揭露即改變。當你寫一對象，即說穿了這對象，並改變其性質了。如果這對象還安於現狀，那就是佯裝不知，就是在明知故犯。故對象被揭穿，不安於現狀，他就該去改變。

這說法很通俗，應該讓沙特去說。這種說法，非常存在主義——普通的道理，他再講一遍，講過後，又揭出一番深意，雖然不太深，但適合一般人。

每種主義有自己說話的一套方法。

我看這說法，是老帳新算。什麼老帳呢，就是為人生而藝術、為藝術而藝術。他是主張為人生而藝術的，但他發明了一個後來很流行的說辭：介入。

什麼「張力」、什麼「心路歷程」、什麼「介入」，臺灣作家說得很起勁。這些詞沒發明前，文學怎麼辦？

他反對純藝術。認為藝術家應「介入」他的時代。二戰後的青年，沒經歷過「為人生、為藝術」的風潮，聽到沙特這番說辭，是很新鮮。

沙特的好處，是自己的理論放到自己小說中去。不能小看這一點——許多理論家根本不會創作。

理論是支票，創作是現鈔。沙特的理論，說兌換就兌換，這就比許多人不知風光多少。你去他的銀行，就能兌錢——他的評傳，把波特萊爾、惹內（Jean Genet）、福樓拜，都變成存在主義。

思考題：藝術家到底要不要介入他的時代？

我的回答：隨你便。

具體說：二流作家，最好介入；一流的，可介入可不介入；超一流的，他根本和時代無關。

科舉時代，我一定考不取。米芾寫：「租船，如許大。」然後就在卷子上畫一隻船。徐文長考考考，在卷上畫起畫來。柳永寫詞，詞寫好了，皇帝說，那你就去喝酒過癮，他不服氣，又寫詞，叫做「奉旨填詞」。

講正經——這個問題要咬住，也要介入一下。

你要介入嗎？很好。你不要介入嗎？也很好。

尼采在《華格納事件》（*Der Fall Wagner*）中說——他真好，有時會直接講出來，面對面講——「在他自己身上克服他的時代，成為無時代的人。這是對哲學家的最低要求，也是最高要求。」

聽他這麼一說，我對尼采舊情復燃，又發作了。他看得到，說得出來，痛痛快快。

我在我身上，一輩子以自己為素材，狠狠克服這個倒霉的時代。我對這個時代，永遠不介入。我苦於找不到說法，現在找到了，很達意的說法：假如我要寫現實的、自傳性的回憶，那我就寫我如何在自己身上克服我的時代。

為人生而藝術，是藝術，那就好。

為藝術而藝術，是藝術，那就好。

歐美，兩者都搞出藝術，中國，兩者都弄不成藝術。

歐美還有一些天才，能站在兩者之間，介入不介入之間。如葉慈。艾略特說葉慈的偉大，是在兩者之間不妥協、不調和，自己找出一條路。

我也想過，這兩者，中間一定有一條路。

如我的自傳性小說，寫好了，可以說我克服了我的時代，寫不好，可以說我被時代克服。

老子完全克服他的時代。他哪裡只有他那個時代的特徵？

話說回來，我不反對介入時代。

無時代的人，是屬於各個時代的人。還以李聃為例。每個時代，包括當今各國精英，都接受老子影響，你說——老子的介入大不大？

偉大的藝術必然是介入的，但標榜介入的人是急功近利，不標榜介入的人是深謀遠慮。

沙特的介入說，發揮到這裡，下面講沙特的文學。

西方太囉嗦，中國一言道破。我要像西方那樣，「要言不煩」地囉嗦下去。

文學家的沙特

沙特是戲劇家、小說家，主要以戲劇為主，都用來宣傳存在主義，傾向性明顯而肯定——作品分三階段：戰前、戰後、晚年。

戰前階段，也可稱「存在與虛無」階段（那本書名），發表前是三、四十年代，以哲學觀點為理論依據，反過來以文學宣揚哲學觀點。以哲學觀創作，以創作宣傳哲學。有中篇名《噁心》（*La nausée*。編按：或譯《嘔吐》），還有小說集

《牆》（*Le mur*），其中包括〈房間〉、〈艾羅斯特拉特〉、〈親密關係〉、〈一個工廠主的童年〉。

《噁心》是成名作，探索人生意義，發表在哲學著作《存在與虛無》之前，是個試探性的氣球。《噁心》一受讚賞，他就滿懷信心發表《存在與虛無》，大紅。

這點要弄清、弄懂、弄精，要有策略（丹青畫西藏，先是小策略，最近的畫，策略大些，然後引向形而上，試圖克服自己的時代，這一步步都走得很好。現在丹青每天到畫室，叫做「心有所鍾」）。

要會粉墨登場，也要會點策略。我來紐約寫的散文，搔首弄姿，到目前為止，粉墨登場的階段雖然還沒結束，創作上漸漸洗盡鉛華。

老子是想拿宇宙的規律來當做人生的策略。

戰後階段，也稱「境遇劇」階段，指四十年代後到六十年代初，那是他的全盛期，鼎盛期。作品《自由之路》（*Les Chemins de la Liberté*，分三卷：〈不惑之年〉、〈緩期執行〉、〈心靈之死〉），更進一步體現存在主義觀點，影響更大。比小說更成功的是他的戲劇。「境遇劇」是他想出來的，很聰明。他認為人既然在一定境遇中自由並選擇，就必須在劇中表現簡單的境遇及他們的選擇（你看，這種說法非常存在主義，煞有介事，其實沒有多大意思，但適合中產階級，給他這麼一講，很中聽）。「境遇劇」，完全是為他的存在主義效勞的。

歷史還得顧到。二戰開始，法國一下子潰敗。沙特本人在二戰中體驗到戰俘、戰鬥和地下抗敵的生活。戰後，冷戰形成——在這歷史條件下，西方知識分子是不得不考慮何以自處。這個背景，決定了沙特的寫作和他的介入。

當時巴比塞（Henri Barbusse）、羅蘭，都介入蘇方，紀德部分介入，只有梵樂希一點不介入。

沙特，是傾向社會主義陣營的。他以這一切作為題材，當然有很多東西可寫。《蒼蠅》（*Les Mouches*）、《密室》（*Huis-clos*）、《死無葬身之地》（*Morts sans sépulture*）、《可敬的妓女》（*La Putain respectueuse*）、《骯髒的手》（*Les Mains sales*）、《魔鬼與上帝》（*Le diable et le Bon Dieu*）、《基恩》（*Kean*）、《涅克拉索夫》（*Nekrassov*）、《阿爾托納的死囚》（*Les Séquestrés d'Altona*），九個劇本，都很重要，再加上一九四〇年寫的《巴里奧那》（*Bariona*）、一九六五年的《特洛伊婦女》（*Les Troyennes*），共十一個劇本。憑這十一個劇本，使他成為一代宗師。劇本，下堂課再講。

晚期，從六十年代到一九八〇年死，作品不多了，也不重要。有文論集《一種境遇劇》（*Un théâtre de situations*）、《人們有理由反抗》（*On a raison de se révolter*），以及一部回憶錄《文字生涯》（*Les mots*）。

政治家的沙特

現在講政治家的沙特。由於他的存在主義哲學，推演出一種激進的政治立場。由這個立場，他頻繁介入政治活動，成為一個知識界的領袖。

我想過，這種事在法國做起來，可以，在中國，太麻煩。魯迅如長壽，必然給推到這種地位。耶穌進入耶路撒冷，以色列人脫下衣服，平拿棕樹枝，歡迎耶穌，耶穌騎在驢背上。我來寫，就寫耶穌的疲倦和厭煩：

他終於下驢背，逃到樹林河邊，但醒來後，還是回到驢背。

真正的先知，是不能騎到驢背上去的。

沙特有幸生在法國。他不是政治家。魯迅，你要他去組黨、做頭兒？不行的。沙特也不行的，他還是一個文學家。他抨擊資本主義、殖民主義，呼籲世界和平，揭發法西斯罪行，對越南、阿爾及利亞戰爭發表反對意見。

一九四五年，他和阿隆（Raymond Aron）創辦《現代》雜誌，對當代國際國內重大政治事件發表意見，名聲愈來愈大。在社會主義和資本主義兩大陣營之間，他想表示中立，兩邊都罵，但有傾向性（有一時他支持法共，當時一窩蜂，阿拉貢、畢卡索，統統加入）。四十年代他參加反法西斯鬥爭，做了俘虜，因病出營，搞了一個「社會主義與自由」的抗敵組織。五十年代，他譴責美帝侵略戰爭，抗議法國對美國的屈從；與共產黨關係友善，直到一九五六年，反對蘇聯出兵匈牙利。六十年代，冒著被逮捕的危險，支持阿爾及利亞民族獨立。

一九六四年，拒絕諾貝爾獎，理由是「謝絕一切來自官方的獎掖」。這是空前戲劇性一舉，他獨占了鏡頭。紀德的諾貝爾獎感言在我心中大跌，不能原諒。但我以為沙特拒獎，也不明智。此獎並非都是官方的。諾貝爾是科學家，獎的目的是給人類優秀者。評獎會的某些委員是可以批評的，常使該得者不得，不該得者得。沙特大膽，但他為什麼不說：「在我不能肯定一件事是榮譽還是恥辱前，我不願受獎。」

但他此舉是高明的，理由不很高明。

一九六七年，他參加羅素（Bertrand Russell，一八七二—一九七〇）組織的「國際戰爭罪法庭」（編按：後稱「羅素法庭」），第二年任庭長，起草對美國侵略越南的判決。一九六八年，支持法國學生運動，同年對蘇聯入侵捷克表示抗議。

這四件事，我都讚賞。拒獎、法庭、支持學生、抗議入侵捷克，都介入得好！快到七十年代，他幹傻事了：充當法國「紅衛兵」，貼大字報（不過「文革」上當的人千千萬，多一個沙特無所謂）。沙特對中國的政治缺乏常識，給降低到一個普通知識分子的地位。你至少要看一看，再介入。紀德就不會幹這種事。

他一生不斷介入。我對介入者的觀感，是世上事情紛紛揚揚，你介入得了嗎？介入，是苦行主義的態度，不介入，是快樂主義的。

一九八〇年四月十五日，沙特死——那時他應該知道什麼是「四人幫」，什麼是「文化大革命」，可惜我們不知道他的態度如何，想必他有感觸的——舉國悲悼。德國人怎麼說：反映了西德知識青年的心境。日本人說：無論在思想上、文學上，都找不到一個像他那樣在戰後影響日本知識分子的作家。

美國向來瞎起鬨，把他捧得無以復加。

一九八〇年四月十九日下午，葬禮，幾萬人隊伍長達三公里。法國人說是雨果葬禮後最隆重的——英國迫害拜倫，死後英國行盛大葬禮——沙特死後哀榮，我的感想，是他到此為止。

生前尊榮、葬禮隆重的人，他有限，影響也有限。

莫札特的葬禮？

如果偉大，死後會慢慢發光，一直照亮下去——但我對未來不抱希望的。我的文章不對未來說一句好話。紀德，完全絕望的。非洲青年給他寫信，他讀後說：大地上的鹽分還在，使我老到行將就木的人，不至於絕望死去。

我有俳句：「所謂人文關懷，是鄰家傳來的焦鍋味。」

我預感到，鹽味將要失去，人將來不再像人。我的上輩，我是指契訶夫一代，老談到將來，覺得很有希望——人類在愈來愈快地退化。

古代人，像剛開封的酒，酒味醇。但這酒缸沒有蓋，酒味走了。博物館，早期的，希臘的雕塑，中國的青銅器時代，多好！現在塑料的東西也放進博物館。走進博物館，倒著看上去，人類才進化。

人類愈早愈文明。彩陶時期，你做個陶，畫畫看？畢卡索也畫不出那筆力。我們有些東西，是返祖現象。

但我還有一點點「浩然之氣」，這點氣，其實是孩子氣。

總歸是完了的。但我願意和托爾斯泰、達文西一起完。

如果一九八〇年我在巴黎，我不參加沙特葬禮。與我無關。回想魯迅之死，抬頭的抬頭，抬腳的抬腳，後來哪個成了器？當時送喪者也算得萬人空巷，都哭，發誓要繼承魯迅先生的遺志，什麼「有一分熱，發一分光」、什麼「路是人走出來的」，現在呢？

屍身上蓋的旗——「民族魂」。一個國家靠一個人來作魂，莫大的諷刺，而且肉麻。

這又像題內又像題外的話（提上提下），是要你們懂事，懂什麼事？人活在世界上，要有一個安身立命的尺度。你可以不按這個尺度生活，但你要知道這個尺度。

通俗講，你可以在現實中找問題。你看周圍男男女女，他們有尺度嗎？所謂尺度，就是整個的標準。

沙特葬禮，你可以去湊熱鬧，趕時髦，扮演一個群眾的角色，但你要知道這是怎麼回事。怎麼回事？前面已經講了。你在行列中，心中大有所思。沙特也好，雨果也好，他們的身後哀榮，太戲劇性，太直截了當，太像政治秀——就說雨果吧，現在看，他的成就遠不如巴爾札克、斯湯達爾、福樓拜。而這三位大天才死時，景況寥落，甚至很淒涼。可見藝術家的光榮絕不在葬儀的規模。規模大，說明什麼呢？

這麼想想，你會走出行列，到路邊咖啡館坐下。這樣，你就在創作了。

再說得形上一點：沙特由於他的「介入」，已經屬於他的時代。你可以喜歡他，尊敬他，但只是作為時代象徵的沙特。你當克服這個時代，克服沙特——在你身上克服——成全你自己。這是我的意思，也許沙特會同意。

在我看來，存在主義是話說了一半的主義。我不願意再說。最後，還是以葬禮做話題：如你參加，認為已經「介入」了時代，等於在街上見到趙丹、王文娟，逢人就說，我看見了某某——那就無話可說。中國人，如能到巴黎參加沙特的葬禮，而且是一九八〇年，那真是中國人的光榮。我前面講的是客氣的。現在不客氣了——雨果、華格納、沙特，他們的死後哀榮，尼采已經說了：「唯有戲子才能喚起群眾巨大的興奮。」

沙特介入中國「文化大革命」，他演糟了。別的戲，他演得很成功。我生來討厭戲子，看他照片，即覺得非我族類。他的文學，他的〈牆〉，還是寫得好。他有戲子的一面，也有藝術家的一面。華格納，尼采講他半天，就因為他還有藝術家的一面。

我的墓誌銘（暫定）：

「即使到此為止，我與人類已是交淺言深。」

亞當的口氣。給我作品定位：多餘的。

「因為禮物太精美，使得接受的人不配。」這是我另一句詩。

莫札特給人類的禮物太精美。

第73講

沙特續談

《噁心》〈牆〉他人即地獄

1993.3.21

總之，對生命、對人類，過分的悲觀，過分的樂觀，都是不誠實的。看清世界荒謬，是一個智者的基本水準。看清了，不是感到噁心，而是會心一笑。
中國古代的智者是悲觀而快樂的。

沙特的境遇劇，我們自己就在演，我們都是劇中人，都在自由選擇。所以沙特的許多想法有道理。我要和他較勁，因為他不夠誠懇，他是虛偽的，他虛偽得很巧妙，很有才氣。

從旁看，從歷史現象看，宗教會死的，宗教音樂、宗教藝術長存。哲學會過時、不足道，甚至成為謬誤，但文學作品會流傳下去。

沙特的小說：《噁心》、〈牆〉

繼續講沙特——沙特之為沙特，在於他有很高明的文學能量。這是他的高處、強處。不是說哲學家一定要兼文學家——我也不以為他勝過了別的哲學家——我是說，沙特占了優勢。

第一部引起轟動的文學著作是《噁心》，一九三八年出版，一舉成名。寫作之初，準備敘述一偶發事件，幾經修改，成了一部存在主義小說。出版社開始拒絕，一上市，讀者、評家反應強烈。

日記體小說。照作家說，是哲學日記。日記，當然是第一人稱，主角羅康丹（Roquentin）。他忽然有一天覺得周圍一切都「噁心」。一切毫無意義，包括他自己。小說描寫他在公園中凝視栗樹的樹根，深紮在泥土中，黑黑的、虯曲的，他愈看愈怕，想，這有什麼意思？什麼目的？一切都是偶然的，醜惡的，污穢的。他發覺人人萎靡不振。他認為我們吃啊喝啊，但沒有生存的理由。終於他找到答案：一切可以歸於荒誕，他要確立荒誕的絕對性。

作為藝術，這部小說是不成功的。第一個問題：藝術品能不能圖解思想？第二個問題：世界真是荒謬的？人生真是無意義的？第三個問題：如果是，我們怎麼辦？

先把《噁心》弄弄明白。

存在主義基本原則，是世界荒謬，人生痛苦。沙特在《噁心》中力圖說明這一點，以此質疑古典哲學的價值論和肯定論。這是古典主義通盤的估價。羅康丹失去生活的方向、目標、意義，自己就變成一個東西。他說：

一切存在的都是無緣無故地出生，因軟弱而延續，因偶然而死亡。

海德格曾經沉痛地說：「深沉的煩惱好像寂靜的霧，遍佈於生存的深淵，將外物、他人和我們自己攬在普遍的冷漠之中。這種煩惱顯示出生存的全貌。」

沙特的思想來源，與胡塞爾和海德格有關。他自己說，《噁心》是攻擊資產階級的。我覺得這是耍花槍，是撈稻草，討好無產階級：他明明攻擊的是全世界，而當時資產階級正抬頭，他是有私心的，不夠誠實的。

我以為一件藝術品如果性質上是作者思想的圖解，即無藥可救地失敗了，不論作者的思想多麼高明。這個問題看來容易懂，其實很嚴重，一直要歸結到哲學與藝術的分界。

喬伊斯、昆德拉，都有這種傾向。

思想一圖解，文學遭到嚴重破壞。音樂、繪畫、舞蹈、雕刻，概莫能外，不能碰思想。

羅丹是個粗人，沒什麼文化。他的思想是借來的，是思想銀行的貸款。他的好處是技術熟練，熟練到有點才氣，其實他連思想的圖解也談不上。當時很轟動。現在還有人熱中羅丹，那就有問題。

蕭斯塔科維奇，我不喜歡。他是個軟性的硬漢，用音樂圖解他的思想。他的思想是天生的結結巴巴，說而不明。他的音樂是都有說法的，十月革命啦、反史達林啦……。

舞蹈，照尼采的原理，我來定義：哲學家一怒，成為舞蹈家。

這話，尼采可以鼓掌，別的人想想，可以鼓掌。

我喜歡西班牙民間舞、南美蹋踏舞，特別喜歡印度古典舞蹈，有一種陶醉感，那是佛教的意思，但我不懂，所以看著好。藝術家和人類是意味著的關係。意味消淡時，有人就受不了。但在我看來，意味愈消淡時，就意味深長了。

貝多芬《第九號交響曲》、布拉姆斯《第一號交響曲》，都屬於哲學家一怒而成了舞蹈家，在他們的作品中，思想飛了起來。

當然要有思想。但要看是什麼思想。不要圖解。不要公式化、概念化。米開朗基羅是在圖解〔創世記〕？不要忘記，他偉大，是他都包了下來——是他在「創世紀」，創繪畫的世紀。

為什麼藝術不能是思想的圖解？為什麼這樣犯忌？

因為藝術是超越哲學之上的。哲學非但不能解釋藝術，而且不配解釋藝術。這話，只能關在家裡講講，我只能忍耐。

想到尼采反理性，元兇一直追到蘇格拉底。欽佩極了。大智者。可是病源、病根早就找到了，誰也開不出藥方。

不靠理性，靠什麼抗衡理性？

一籌莫展。病入膏肓。和理性相克的東西，幾乎沒有。不能說是感性、本能、暴力。都不能。能與理性對立，介乎理性之上的東西，幾乎沒有。只有在音樂中，準確地說，在某些段落、章節中，介於理性之上。

希臘雕像，也有這東西，在理性之上。

聽貝多芬《第九號交響曲》的第三樂章，覺得宇宙不配。藝術家才大，冤深，永遠是冤案。

中國成語：解衣槃礴。我在電影上看到耶穌被鞭撻，受不了，站起來，想到這句成語——不值得為這樣的人類受苦。

我現在聽音樂，旁邊不能有人，而且愈來愈聽得少。

再回頭看《噁心》，你們是否覺得沙特誇張？

我們看世界的眼睛，心情有異。有四種處境決定我們心情惡劣：一，失戀；二，進監獄，關起來，隔離審查；三，重病；四，赤貧。凡處於這四種處境，看問題，看世界，一定不一樣。反過來，一個人健康，有憐愛，自由，生活過得去，不會對生活這樣看。

沙特筆下的人物，完全是他思想的圖解員。

不要忘記，人是有肉體的。肉體的健康，制衡精神。

健康是一種麻木。

人的心情會逐漸好轉，是因為健康在制衡痛苦。人落入絕症，就是這種制衡的消失。病好起來（病使人敏感，敏感全用在疾病上）人最幸福。大病初愈的人，目光、心情，特別明亮。

總之，對生命、對人類，過分的悲觀，過分的樂觀，都是不誠實的。看清世界荒謬，是一個智者的基本水準。看清了，不是感到噁心，而是會心一笑。

中國古代的智者是悲觀而快樂的。

沙特的《噁心》是一種裝出來的病態，可當時的歐洲怎會被感動？世界荒謬，十九世紀早就講過。所以結論是灰心喪氣的：一代的智慧，傳不到下一代。一代歸一代。

魯迅看港臺文學，會喜歡嗎？要罵的。可是魯迅要救的孩子，喜歡三毛。魯迅把希望寄託在未來，這就是他的未來。

整個古代的文化、藝術品，能留到現在，好危險哪！

李白、杜甫在唐代的名聲，在今天就得不到了。

但我願意生在現在，因為比較容易瞭解宇宙，透視人生。如果你是淡泊名利的人，那麼生在這個瘋狂奪取名利的時代，那是真有看頭。

不要太看得起那些荒謬、痛苦，不要當一回事。古代人講飲酒，要找的是麻木，我看只能擺脫小荒謬。飲酒是小家氣的。最大氣的事，身體健康。

這是尼采叫我走的路，可他自己走不了了。

一個人非常健康，落在困境中，他不怕的。當然，要他死，那也沒有辦法。我有俳句：

「推舉一位健美先生，然後一槍擊斃。」

現在相約：十年十五年後，你們翻翻今天的筆記，有用的，有趣的。

健康很麻木，很好玩。

為什麼花那麼多時間講沙特？因為他提的都是現代人的問題。我們是現代人，把他講講透，就可以和所謂現代思想告別了。

《噁心》是本不成功的小說，沒什麼好多講，大家自己去看好了。我認為成功的沙特的小說，是〈牆〉。那是短篇小說集中的一篇，他大概自己也以為這篇比較好吧，所以用作書題。故事：共產黨員伊皮葉達和兩位戰友被法西斯分子捉住，入牢，逼他們招供另一個黨員格里（格里躲在伊皮葉達的表兄家裡）。三黨員不招，被判死刑。小說寫三人行刑前夜的心理，很精彩。一個失常，一個鎮靜，伊皮葉達疲倦、灰心，卻又亢奮：他有情人，卻不想留一個字。

刑前心理，許多人寫過，沙特好在寫得很新鮮，看後好像自己也經歷了刑前的心理。

兩黨員槍斃了。伊皮葉達臨刑前又被拉去審逼，仍不招，但他最後想戲戲敵人，編一假供，說格里躲在墓地。敵人立即去墓地找。伊皮葉達暗笑：我反正要死了，讓他們去撲空——格里本來是藏在表兄家，怕連累別人，真的躲到墓地去，被敵人捉住，立即處死。伊皮葉達得知，昏過去，醒來，狂笑，小說停。

附帶說說，我對小說、電影和生活的關係，總是大有興趣。電影可以剪輯，小說可以停、跳……生活真是可悲。只有快樂時，生活和電影一樣——瞬間就過去了。

〈牆〉，我佩服沙特的描寫功夫。

而且這小說既有現實意義，又有永久意義。永久意義是小說結尾這個偶然性，這個命運——和希臘悲劇原理同。當然，他在小說中強調的還是存在主義第三個命題：世界荒謬，人生痛苦。但〈牆〉不是存在主義思想的圖解。〈牆〉超出主義，比主義長久——超出主義，是藝術的喜事！

所以我說藝術另有上帝，另有摩西。

這篇存在主義的好作品，超出了存在主義。用筆很鋒利，整個作品很有力量。

沙特的境遇劇

講講他的「境遇劇」。當時——二十世紀四、五十年代——法國充滿境遇劇。境遇劇：特定境遇中劇中人的自由選擇，也有人稱「自由劇」。人喜好新，沙特想出這個新名稱，賣得好。中國人喜歡講老字號，愈老賣得愈好。

這些劇中的世界是冷漠的，命運是偶然的，人的處境都很危險。生死攸關，極限境遇，不僅社會環境使人煩惱，更重要的是人和人之間的關係造成這種險惡。沙特的警句：「他人是你的地獄。」我譯成：「他人即地獄。」

你要選擇，就要擺脫他人。

（丹青：這些叔本華早說過。木心：是啊，沙特聰明，把十句話的警句弄成一句話。戰後青年沒讀過原典，沙特的存在主義是在戰後的荒蕪中擺擺地攤。）

可以就此講開去——人類是合群的、社會性的動物。「個人」是孤獨的、不合群的、不可能溝通的高級動物。這是兩個不同的概念：「人類」不是「個人」。

人問蘇格拉底該不該結婚。他答：兩種結果都會懊悔的。

螞蟻和蜜蜂，是集體動物。牠們的所謂必然王國和牠們的智能正好協調、合適：一個蟻窩、蜂巢，不會「他人即地獄」。

人類的地獄是人類自己造成的。人的智能，高多了。一切慘無人道的事，是人造成的，不是另外一個東西給人類造成「慘無人道」。

這是人類濫用誤用智力的結果。確實，他人即地獄。

從沙特的自由選擇觀，細節、局部地看，這種選擇是積極的；退遠了、歷史地看，還是消極的、虛妄的，不過是逃避——人逃避社群，是很傻的。

要我說，應該研究了存在主義，知道了「他人即地獄」，然後，就像不知道存在主義，像之前那樣存在下去——有人這樣嗎？有。沙特就是這樣。他不靠存在主義生活。他要去演講，讓許許多多「他人」聽，「地獄」愈多愈好。

我青年時寫過：警句是給別人用用的。

懂，比不懂好——表示智慧，深度。

懂，裝得不懂——俏皮，幽默。

懂，好像什麼也不懂——成熟了，歸真反璞。

我們繞個彎回過來：沙特說，別人是地獄。對的。我經歷過三次、五次、許多次。但是我說：別人是天堂。

友誼、愛情，都是天堂，都需要一個「別人」；你能沒有「別人」嗎？羅密歐即茱麗葉的「別人」，反過來也是——你能沒有別人嗎？

《歡樂頌》有詞：只要世界上還有一雙為你流淚的眼睛，你快來參加這歡樂的宴會。如果沒有人願為你流淚，那麼你就孤零零地離開吧。

也是要別人為你流淚，你才幸福。

天堂的門是窄門，向來認為只有單身才能擠進去。現在我才明白，這道門一個人擠不進去，兩個人倒擠進去了。一個進不了，兩人擠進去的，就是天堂之門。

結論：他人即地獄，他人即天堂。

這就是二律背反。所謂幸福，離不開別人的。

歸真反璞，不是回到原來的地方。六歲的陶淵明和六十歲的陶淵明，不是一回事。沒作過曲的莫札特和寫了四十一部交響樂的莫札特，不是一回事。

金剛鑽的前身是碳素，中國人叫石墨，經過億萬年的壓磨，形成金剛鑽，看起來好像歸真反璞。前面所說的那個過程，就是——起始有了智慧，智慧又有了深度，然後變得俏皮，事事以幽默的態度處之，在無數次的談笑間，你成熟了——這個過程，就像碳素受強力高壓一樣，金剛鑽呢，就是陶淵明、莫札特。

「比喻，總是跛足的。」（這句話不知誰說的，在哪裡看到過。）擺脫比喻，直接說，大前提：知識本身就是高強度的壓力。我講文學史，是一種壓力的傳授。我們講了四年，正在承受壓力，許多人受不了，回家了。他們有鄉愿。

沙特的境遇劇，我們自己就在演，我們都是劇中人，都在自由選擇。所以沙特的許多想法有道理。我要和他較勁，因為他不夠誠懇，他是虛偽的，他虛偽得很巧妙，很有才氣。

對於法國、歐洲，有沙特比沒有沙特好。現在呢，從有沙特到不必要沙特，也很好。

從旁看，從歷史現象看，宗教會死的，宗教音樂、宗教藝術長存。哲學會過時、不足道，甚至成為謬誤，但文學作品會流傳下去。

中國的儒家的生命力——《大學》、《中庸》、《論語》、《孟子》——到後來，恐怕全靠這些著作的文學性。這是我想像性的推論，歷代少有人指出。

我看哲學、倫理、儒家，都當它文學看——沒有人說過。《大學》、《論語》，文學性特別強。

現在還不到時候。如果到某個世紀——我的假想——宗教、政治、倫理、哲學這些迷障全部消除，那人類的黃金時代就來了。現在、過去，文學還是作為宗教、政治、倫理、哲學的附庸。

有人問：這黃金時代會不會來？我答：不會。

那空想有什麼用？我說：「有用。」四個理由：

我們知道了宗教、哲學是迷障——有用。

我們知道了文學、藝術一直是委屈著，做奴才——有用。作為迷障，那些宗教、哲學已經奈何不了我們。所以文學、藝術的王者相就成為我們個人的王者相。

歸結起來呢，不好意思說——人類的黃金時代並不屬於人類，而是屬於少數人。貝多芬、蕭邦、陶淵明，早就成就了他們個人的黃金時代。

藝術是最大的魔術，藝術家是最大的魔術家。

第74講

卡繆及其他

《異鄉人》 《鼠疫》 西蒙·波娃 《女賓》 存在主義的文學特徵

1993.4.18

從法國小説傳統來看，梅里美、馬拉美一路下來（包括紀德）的貴族個人主義，到了卡繆他們，已被平民的個人主義替代。這不能説是進步，也不能説是退步——説明世界在變。這，就是異化。

為什麼這些人的主張觀點如此相似？反過來看十九世紀，叔本華、尼采等等，都異乎尋常。我想，凡能搞起主義運動的，大致是二流角色。走獸飛禽中，可以找到例證：鷹、虎、獅，都是孤獨的、不合群的，牛、馬、羊、蟻，一大群，還哇哇叫。最合群是蛆蟲。

世上什麼最偉大，藝術最偉大，可是藝術一直被弄成小丫頭。過去，再偉大的藝術家都自卑，直到貝多芬才自覺地説：「藝術家高於帝王。」

卡繆與其作品

阿爾貝·卡繆（Albert Camus，一九一三—一九六〇），另一位法國存在主義哲學家、小說家、戲劇家、評論家。生在阿爾及利亞（當時還是法屬殖民地），母親是西班牙後裔。未滿一歲，父親在戰爭中陣亡。卡繆靠獎學金讀完中學，又進入阿爾及爾大學念哲學，半工半讀，博覽群書，成為左翼知識分子中佼佼者。一九三三年希特勒上臺，他參加了巴比塞等人領導的反法西斯運動，一度加入法共。

我們如果生在那時，也會參加左派。生在現在有幸，當時，左的錯誤還不明顯，還沒擴大，對的東西無可厚非，很難選擇的。我有句：幸與不幸，我們目睹了它的破滅。

卡繆組劇團，寫劇本，演出，辦報。有隨筆集《非此非彼》（*L'Envers et l'endroit*），一九三八年出散文集《婚禮》（*Noces*），這兩本書倒不左，寫的是人生短促，世界永恆。

這個主題早就被寫過，可是人都是從小長大，都要經歷這種感慨。少年春情發動，在他是第一次，在人類史，不知多少次了。所以見到青少年不要說他們幼稚，否則就有代溝。我和青年人沒代溝。

四、五十年代是他創作的興盛期。由於他的加入，法國存在主義文學壯大，當時幾乎和沙特齊駕並驅。有論說講他是世界性存在主義的代言人。之所以贏得如此崇高地位，是他有創作表達戰後西方人心聲。他有三個主題：一，人在異化的世界中的孤獨；二，人自身也日益異化；三，罪惡、死亡，最終是不可避免的。

這是戰後知識分子所思所想，因此卡繆成為一個應時的作家。名著《異鄉人》（*L'Étranger*），正好發表在沙特的《噁心》之後，成為姊妹篇，同時發揮作用。

《異鄉人》發表於一九四二年，故事背景是四十年代的阿爾及利亞。主角莫爾索是個法國公司小職員，單身，獨居。因無能贍養母親，就把母親送進養老院。三年後，母亡，趕回參加葬禮。時母親已入殮，他也不想開棺見見母親。守靈時老打瞌睡，抽菸、喝咖啡。對母親的死，漠然，巴不得痛痛快快睡覺。

所謂「局外人」（編按：《異鄉人》，中國譯作《局外人》），就是無所謂，就是十九世紀所謂「多餘的人」。岡察洛夫、萊蒙托夫等都寫過——這個多餘的人後來跑到阿爾及利亞去了。

十九世紀的「多餘的人」，是貴族、詩人，是少數。二十世紀的局外人，是平民，是多數。「多餘的人」還有人格，沒有異化，局外人根本沒有人格，渙散了。莫爾索對母親的死、葬禮、愛情、死刑、工作地點、刑場，都無所謂。這種人，十九世紀那些多餘的人還不能想像。

這完全是「存在是荒謬」的解說。小說讓人覺得卡繆好像是讚賞主角——這裡有存在主義的虛偽性。

卡繆、沙特，他們自己不是局外人，他們是非常執著的功利主義者。他們是故作冷漠。一個執著的人，描寫冷漠，一個非常有所謂的人，表現無所謂，這就是存在主義的虛偽。

他們對書中主角有一種幸災樂禍的心理。

我認為《異鄉人》可讀，是另有觀點的。莫爾索是一個犧牲者，一隻迷途羊羔。他並沒「自由選擇」，或者，他選擇錯了。《異鄉人》發表的同一年，卡繆有論文《薛西弗斯的神話》（*Le Mythe de Sisyphe*），取自希臘神話，大力士薛西弗斯受罰，天天推石頭上山，到山頂，滾下去，又重新推，永無止境。在我看，希臘人早就是這個意思，你再去講，沒新意。紀德寫水仙自戀，有新意，卡繆講薛西弗斯，太老實了。卡繆在文中說：

在這個驟然被剝奪了幻想和希望的宇宙裡，人感到自己是一個局外人。

我看不出莫爾索處於這種形而上境界。他是隨波逐流，思想的懶漢，莫爾索是看著石頭滾下來，自己也隨之滾下來——他是個滾石樂派。

不過他確實代表著三、四十年代的大部分青年。當時正值法西斯猖獗，大家都看不到法西斯會失敗，無奈中讀讀《異鄉人》，也可解悶。而真實的生活中的莫爾索，恐怕連讀小說的勁也沒有。

從法國小說傳統來看，梅里美、馬拉美一路下來（包括紀德）的貴族個人主義，到了卡繆他們，已被平民的個人主義替代。這不能說是進步，也不能說是退步——說明世界在變。這，就是異化。

要我來說，我不會說得太老實——現代人不是從前的人的子孫。現代人，自己的事情也不肯管，是一種異化，又太自私，更是一種異化。

我在上海時，廠裡有個青年，濫吃濫用，窮，大冷天穿單褲。廠領導看不過去，給了補助金，他領了錢一路吃喝，照樣穿單褲上班。領導訓他，棉褲買來了，穿上了，穿到春天，給他扔在垃圾箱裡，夏天露出滿是老垢的脖子，人勸他洗洗吧，他說：「管我什麼鳥事。」

這是中國式的存在主義，倒是真的荒謬的。

卡繆另一本小說《鼠疫》（*La Peste*），是回頭用象徵主義手法的一部存在主義作品。鼠疫象徵法西斯，主角里厄（Dr. Bernard Rieux），是高尚勇敢的醫生，有新聞記者受里厄感召，撲滅鼠疫。主題是世界雖然荒謬，我們還得選擇正義，戰勝邪惡。這是老調，但還是要唱，反過來，難道邪惡戰勝正義？

總的說來，我對卡繆印象滿好，可惜他死於車禍。你們看他照片，像個很好的新聞記者，很想跟他談談。

我有俳句：「不太好看的人，最耐看。」

西蒙．波娃——女人是變成的

其他存在主義作家：西蒙．德．波娃、尼勒默爾．沃爾馬、索爾．貝婁、諾曼．梅勒。

西蒙．德．波娃（Simone de Beauvoir，一九〇八——一九八六），生於凡爾登中產階級家庭，其父愛好文學，從小受文學薰陶。她自小對舊秩序表示懷疑。先後在馬賽、魯昂中學任哲學老師。一九四三年出第一本小說《女賓》（*L'Invitee*）。

為什麼這些人的主張觀點如此相似？反過來看十九世紀，叔本華、尼采等等等等，都異乎尋常。我想，凡能搞起主義運動的，大致是二流角色。走獸飛禽中，可以找到例證：鷹、虎、獅，都是孤獨的、不合群的，牛、馬、羊、蟻，一大群，還哇哇叫。最合群是蛆蟲。

所以「文革」聰明。他們把你「隔離審查」，他們知道人是合群的。可是連我也受不了，陶淵明也受不了——「結廬在人境，卻無車馬喧，只要一隔離，全部都完蛋。」

我現在住的情況，就是「隔離」，門前的馬路，我稱為「死路一條」，天天那樣子，一排新房子。新房子不會說話——老房子會說話的——散步一點沒有味道。明天不散步了，後天也不散步。

所以文學的黃金時代，是十九世紀。那時的大作家都不合群，那時沒有作家協會。十九世紀是個光榮的世紀。

她的小說人物多是女性。《女賓》講青年情侶同情幫助一位女友，三人感情發展到三位一體，想試驗新的性關係。那女友放蕩不羈，我行我素，是「女賓」，情侶兩人是主人。主人對女賓羡慕而嚮往，終於受不了，結果女賓想用煤氣燒死主人。

這種故事不新鮮，可以寫寫，但要看怎麼寫。

一九五四年發表《名士風流》（*Les Mandarins*），得龔古爾文學獎。只知內容寫戰後左翼知識分子思想狀況和精神危機。她的論文多，談女性問題，以為女人要獨立。

西蒙·波娃有一句話，我欣賞：「女人不是天生的，是變成的。」好在她是用文學的講法。文學的講法，意思可以有多層，不宜強作解釋。我曾經說過，世上有三種（至少三種）東西是男人做出來的：一，金魚；二，菊花；三，女人。

自然界沒有金魚。名目繁多的菊花，也是靠野菊一代代培植變種而來。原始的女性，很難看，腰粗、臀大，乳房像兩個袋，和現代時裝模特兒完全兩碼事。男人按照自己的審美觀念，千年萬年，調教改造女人，妝飾、美衣、香料……女性漸漸好看了，驕傲了。連曹雪芹先生也糊塗，說男人是泥做的，女人是水做的，其實女人是男人的手工藝品。

我對女權運動，不置可否。西蒙·波娃，我還是欣賞，她能說出「女人是變成的」，說明她天生是個女人。

西蒙·波娃與沙特在巴爾札克紀念碑合影。

沃爾馬、貝婁、梅勒

今天要把存在主義講完。還剩三個，雖不重要，也得說完整，前面沒提到他們。

尼勒默爾．沃爾馬（Nirmal Verma），印度人，生於一九二九年，死年不詳，也許還活著。可說是存在主義在印度的代表人物（當時中國正在忙於左翼右翼，「二流堂」、延安派，都不會顧及存在主義。在歐洲，東歐國家也不關注存在主義）。他出生於印度山城西姆拉，在新德里上大學，畢業後做教育工作，後專事寫作。一九五九年旅居布拉格，再後來周遊歐洲各國。如果他一直在印度，就不可能受這些影響。我一再說，一個藝術家，一個天才，第一步，要離開故鄉，像一條魚，游啊游啊，游到大海去。沒有人教他，但是天才就會游到大海去。

五、六十年代，印度出現新小說派（這是大題目，下次講），風靡一時，同法國新小說派不完全相同。印度派受到法國存在主義影響，特點是肯定個人存在的殘剩意義，情感色彩更恐懼、更沮喪等等。沃爾馬採象徵主義、意識流手法，作品人物惶惑壓抑，感情不能溝通，在這新舊價值觀、道德觀青黃不接的時代，世上都是陌生的過路人。

我這個年齡，四、五十年代經歷過新舊道德觀水土不服、青黃不接的感覺。當時覺得舊道德去了，活該！現在才知道舊道德何等可貴。新道德呢，當時的總前提就是集體主義。這是致命的。那時才二十幾歲，沒知識，沒經驗，我只憑天性知道：沒有個人主義，就沒有藝術——也就沒有我。集體主義來了，就是我的四面楚歌、十面埋伏。

但我沒有成為存在主義者，是因為讀過原典，不新鮮。有幸也不幸，不幸是缺了這一課，幸是不必去繞這個彎。

代表作有長篇《那些日子》（*Those Days*）、《候鳥》（*Birds*，短篇集）、《燃燒的森林》。《候鳥》，是印度新小說派的傑作。

索爾・貝婁（Saul Bellow，一九一五—二〇〇五），美國當代作家，存在主義在美國的代表作家之一，曾獲諾貝爾獎。生於加拿大，九歲移民到芝加哥，後來讀人類學、社會學，教學、著書。長篇《擺盪的人》（*Dangling Man*），可算美國文學史第一部荒誕派小說。成名作是長篇《奧吉・馬奇歷險記》（*The Adventures of Augie March*），獲國家圖書獎。其他作品：《雨王韓德森》（*Henderson the Rain King*）、《赫索格》（*Herzog*）、《賽姆勒先生的行星》（*Mr. Sammler's Planet*）等。一九七六年獲諾貝爾獎，評語：「對當代文化賦予人性的理解和精妙的分析。」

諾曼·梅勒（Norman Mailer，一九二三—二〇〇七），美國小說家，一九二三年生。同時也是政論家。生於新澤西猶太家庭，哈佛畢業，專修航空工程。當兵，一九四六年退役。長篇《裸者與死者》（*The Naked and the Dead*），轟動一時，被稱為二戰後最好的小說之一。寫自己當兵生活中官兵衝突矛盾，用的是現實主義手法。《巴巴里海濱》（*Barbary Shore*），長篇，宣揚無政府主義，用半象徵半現實手法。《美國夢》（*An American Dream*），寫暴力、謀殺、崩潰。對黑色幽默作家起過影響。

匆匆將這三人講過，最後回到存在主義問題。

存在主義的文學特徵

我們講的是文學史。談存在主義，我著重談它的文學。這文學的特徵，概括為三方面：

一，明顯的哲理性。它起初並非為文學而文學，是為了找通俗的形式，利用文學。它是哲學，不是文學流派，這要弄清楚。曾經講過：存在主義有他的「鼻祖」，誰呢，丹麥的齊克果。齊克果的理論是神秘的，可意會不可言傳。他害怕死後後世把他的哲學弄成體系，井井有條分成片章小節，所以就用小說、戲劇的方式來講他的思想。所以後來的存在主義也用這方法。

這是存在主義比別的哲學高明的地方。哲學會過去，文學可以長在。宗教可以變化，廟宇留了下來。孔孟、老莊、荀子、墨子、司馬遷，他們的哲學思想，留下純粹的文學。司馬遷是個史家，我看是文學天才。世上什麼最偉大，藝術最偉大，可是藝術一直被弄成小丫頭。過去，再偉大的藝術家都自卑，直到貝多芬才自覺地說：「藝術家高於帝王。」

這種人真是痛快！說出來了。歌德也不敢，給拿破崙叫去，丟臉。尼采，又一個提出藝術高於一切。

這都是歷史上的大事情。我記得我二十三歲時，一個基督徒同學與我常常徹夜談，我說：其實沒有宗教，只有哲學。那同學第二天說：我差點失去信仰。說明她會想。我當時居然也這麼說了。

四十多年過去了，我又想說——其實沒有哲學，只有藝術。你去聽貝多芬、布拉姆斯，隨時聽到哲學，鮮活的哲學。書上的哲學，是罐頭食品。這一點，齊克果一下子超過了前面的哲學家。

歷史上排排隊，第一個不要體系的，是法國蒙田，第二個不要的，是德國的尼采，第三個是丹麥的齊克果，第四個是法國的列維—斯特勞斯（Claude Lévi-Strauss，一九〇八—二〇〇九）。

一般以為能成體系，才偉大。嘴上說說也滿嘴都是油一樣。

他們四個人為什麼都不要體系？各有各的內因。我不分析。一分析，不也弄體系了？

不事體系，我看是天性使然。

我絕對不是看到蒙田等等，受啟發，跟著學。我是走在路上遇到蒙田，脫脫帽，點點頭，走下去，又遇到齊克果，又脫脫帽，點點頭。

我同蒙田開開玩笑，但不跟齊克果談，他要哭的。出國遇到列維—斯特勞斯，也深得我心。

但最欽佩的是尼采。每當我想說未說時，他已哇哇說出來了——「從事體系就是不誠懇」——你看，他說出來了，這話只有他會說。

蒙田老實人。終生研究人，幾十年下來，發現人是會變的，就不研究了。強盜進來，蒙田與他們好言談談，強盜鞠躬退出。

黑格爾體系最強，他不誠懇。

我想，一本書如果能三次震動我，我就愛他一輩子。

二，存在主義還有第二特徵，是把人物放在特定境遇中（所謂境遇劇），讓環境支配人的行動，人再選擇行動，造成本質——其實傳統戲劇也是這樣的。依我看，魚嘛，在水裡游，很好，你把魚捉上岸，給牠一點水，沖成溝，溝再弄乾，又把魚放回水裡——存在主義是沒有事情，弄點事情做做。當時存在主義轟動世界，風行一時，不太正常的。

三，富有真實感，這是存在主義的好處——傳統戲劇中，往往人物的好壞比現實中甚——不錯，也是一種寫法。所謂真實感，是個程度的問題。我們接觸瞭解一個人，只觸到某種程度的真實感，人不可能被瞭解——歷史也不可能被瞭解，被接觸。歷史上許多事，許多人，同時發生，同時又過去了，怎麼可能接觸？《史記》，不過是幾個人的傳記。人是不可能被瞭解的。父親、妻兒，你真瞭解嗎？你才不瞭解呢。

愛情，是一種錯覺，懷抱中的人，你真的占有了？瞭解了？連體人最可憐，最可怕，比殘廢人還可憐。一個人要喝酒，另一人醉了；一個要睡覺，另一個要唱歌……。

所以，人，個別的人，是美麗的、幸福的——說得好聽是孤獨——其實就是個別。

藝術家要「迷人」，研究人。杜思妥也夫斯基、巴爾札克，拼命研究人。丹青也喜歡畫人，一天到晚畫人。

好。存在主義是個小車站，我們停停，買點零食，上車，下次講新小說派。

一種思想，不是從書中傳來的——是從風中送來的。

第75講

新小說（一）

子夜派　莒哈絲　霍格里耶　《橡皮》　《窺視者》

1993.5.16

政治，是動物性的。藝術，是植物性的。

你可以殘害植物，但你無法反對植物。巴爾札克、托爾斯泰，像兩棵參天大樹，你站在樹下，大聲叫「我反對你」，有什麼用？

新小説派的出現，是二戰後西方引起精神危機的結果，在文學上出這一派。

如果沒有巴爾札克，沒有巴爾札克的傳統，沒有傳統和新小説派作對照，霍格里耶的小説是什麼？象徵性地説：如果沒有《蒙娜麗莎》，杜尚的兩筆鬍子添加到哪裡去？

「新小說」之起及好處、壞處

本世紀五、六十年代，法國出「新小說」（Nouveau Roman）派，是現代文學的重要流派。剛出世，被認為古怪荒誕、精神病發作，都不作好評，時值五十年代初。六十年代，社會輿論才認知，而後波及歐洲、美國、日本。

當初沒有「新小說」的說法，風潮落下去了，才出此說。

「新小說」都在二流的「子夜出版社」（Les Éditions de Minuit）出書，一度被歸為「子夜派」。其實沒有所謂「子夜派」，作家風格內容都不同，評論家捉摸不定，他們自己也不標榜，所以有視覺派、反小說派、拒絕派、窺視派、攝影派、寫物派、觀察派、新現實主義及子夜派等各種說法（無派可名，評論家就只能這麼說）。

到七十年代初，勢頭下去了。你們看看，這個事實包含什麼問題？是個什麼性質的問題？

我回答：很好。文學要這樣才是正道、常道。我從小不參加任何派、任何黨。當時敬重林風眠，就為他始終無黨無派。國民黨委任他當院長，他也袒護共產黨，不舉報，但卻無黨無派，不投靠任何一方。香港人喜歡說「人在江湖，身不由己」。我說，人在江湖，身可由己。到了江湖嘛，這才可以自主自由。

新小說派，沒有宣言，沒有綱領，沒有組織，這才好。

直到一九七一年，才在巴黎一個國際文化俱樂部召開會議，小說家們對作品理論做了探討，總算有了一個俱樂部形式的團體，成員有七：

阿蘭·羅伯-霍格里耶、米歇爾·比托爾、克羅德·西蒙、克羅德·莫里亞克（Claude Mauriac）、羅貝爾·潘熱（Robert Pinget）、讓·里加爾杜（Jean Ricardou）、娜塔莉·薩洛特。

還有瑪格麗特·莒哈絲，山繆·貝克特——他們不願參加會議，不入派。這也很好。莒哈絲（Marguerite Duras，一九一四—一九九六），即《情人》（*L'Amant*）的作者，很重要的作家。但她不參加——到底法國人。那多好，也不對開會的人開罵，開會的人也不對不開會的人不開心。要是在中國呢？

將來中國作協、美協取消，出現各種自由組織，我會祝賀——但還是不參加。

以上是新小說派的好處。以下來說壞處：

他們寫時，不響。到開會後，就說是為了反傳統。好，這下子老人家倒霉了——他們的矛頭指向巴爾札克，他成了「靶子」。

對抗，勢不兩立，是幼稚的。巴爾札克並沒有形成永恆法則。

新小說派想要描寫更真實的現實，主張非人格化的、不帶感情色彩的語言，不受時間地點局限，情節簡單，甚至沒有情節的故事等等。近乎通俗的偵探小說的結構，然後鋪開。

講到這裡，忍不住有感想。

歷來一個新主張、新潮流出來，往往殺氣騰騰。當年江豐他們接管浙江美院，還得了，說潘天壽什麼畫家？畫農民挑公糧，不如三歲小孩的畫，一時弄得浙美像地獄……當時青年人也可憐：沒有靠山。思想上也沒有靠山。又不能到外國去，只能給牽著鼻子走。

政治上，要革命，文藝上為什麼每次革新也打出革命招牌？新文化運動，五四運動，拿個孔子做靶子，提倡白話文——白話文早就有了。《紅樓夢》、《水滸傳》，現在也沒人寫得過。俄國象徵主義出來時，也是全盤否定，叫囂

「把托爾斯泰扔到海裡去」，真是俄國江豐。

你要走新路，請便，但走以前，不要把別人打死。藝術上從來沒有你死我活，只有你活我活。

什麼原因？我看從人性來探討，要比從理論上講更清楚——人性總有一種鄙吝，一種排他性，一種原始的暴君意識。文學藝術的「革命」，是一些人在政治軍事上無法施暴，所以拿到文學藝術上來。

（丹青問：尼采上臺會不會殺人？木心：他要殺，包括殺希特勒。又說：斯巴達時代，人生了孩子，在外凍，凍死的，不要，凍不死的，養活。）

人又卑怯，所以要找個目標，把自己推出來。政治上，都是這公式：你不打死他，他就打死你。事無巨細，都是這公式——可憐藝術家也往往落入這公式。自信心不夠，要借助彈力，不是靠自己的衝力——正面看，歷史上幾次文藝復興，包括中國的貞觀開元，俄國普希金到托爾斯泰，都是自身力量充沛，不存鄙吝之心，自己弄自己一套，不搞打倒別人那一套。

政治，是動物性的。藝術，是植物性的。

你可以殘害植物，但你無法反對植物。巴爾札克、托爾斯泰，像兩棵參天大樹，你站在樹下，大聲叫「我反對你」，有什麼用？

今年春天，我觀察寓所外牆的爬牆虎，真感動人。我還用膠帶綁一綁那爬牆草。我寫過：「我只在造物者的未盡善處盡一點力。」盛唐時有人認為初唐四傑還不能完全擺脫魏晉遺風，以為寫得不夠好，杜甫就出來大罵：「爾曹身與名俱滅，不廢江河萬古流。」

最好是自然更新，不慌不忙地更新。現在是急得不得了，新啊新啊，不新就得死——可是又不死。

我以前說：「老實話、俏皮話，要說的都是一個意思。」寫實的、新潮的，要說的是一個意思。新小說派求真實，老掉牙啦。

杜甫罵人。我也罵了一通。

從整體上講，新小說派很有成就。最初好在他們沒有標榜。如果不是後來，他們的成就會更大。（丹青又問：盛唐講初唐詩不好的那些人是誰？木心：爾曹身與名俱滅——不知道呀。）新小說派的出現，是二戰後西方引起精神危機的結果，在文學上出這一派。

一次大戰後，興「人道主義」，哪知不久出法西斯主義，擊破人道主義美夢。法國人驕傲，不料二戰初打，一夜失敗。戰後國際地位低落，思想混亂，老是想到二戰的屈辱。拿中文說法是：「國事蜩螗」（蜩，蟬也，音「條」。蜩螗，意思是知了叫成一片，煩得很）。法國知識分子沒有精神支柱，茫茫不知所從，所以從因循苟且中慢慢闢出一條路來，在紙面上，文學中，就產生新小說派。

新小說派一到世界上來，不是轟轟烈烈一下子占領文壇。一流出版社不接，報刊輿論也反對，作者們晦氣重重，書出了，毫無反應，直到五十年代中期以後，開始走運。

*

按理先晦氣、後走運，我要講下去，但這裡要插一段比較長的話，對大家可能有好處。比較形而上，可以作思考題：

譬如說，一個人有才華，有能力，一時艱難，總會被賞識被重用，這是規律；但世上多有才能不受重用的人，被埋沒，被糟蹋了，這是命運——從新小說的「不遇」到「走運」，想到世界上種種人事現象，我的觀察結果是這樣：

事物有它的規律，可是事物變化，又受命運支配。

規律和命運，是什麼關係？是規律高於命運，還是命運高於規律？既然事物受命運支配，怎麼事物又有自己嚴密的規律？而命運又怎能支配事物這些嚴密的規律？

這份思考題，幾乎沒有被人思考過。

老子思考過，結果是沒有結果——他說：「天網恢恢，疏而不漏。」這是規律。他又說：「天地不仁，以萬物為芻狗。」這是命運。他的整本《道德經》，是這麼二元的，既命運又規律，一會兒解釋命運，一會兒解釋規律。

其實講規律，就是樂觀主義，講命運，就是悲觀主義。

老子的《道德經》偏重講規律，對付什麼事他都有辦法。他的辦法就是以規律控制規律，是陰謀家必讀的書。但老子是上智，他始終知道，規律背後，有命運在冷笑。

中國的《易經》，也很可悲，它認為命運是有規律的，索性去研究命運，以為找到命運的規律，便可避凶趨吉。

但事情哪有那麼便宜？

精通《易經》的人，而弄到走投無路、自身不保的，可多哩。劉基，精通《易經》，死於非命。近代的胡蘭成，也懂《易經》，做漢奸，後來流亡客死。

「天行健，君子以自強不息。」就是《易經》的句子。

事物的細節是規律性的，事物的整體是命運性的。我和亞里斯多德抬槓，他說：「大自然從不徒勞。」我主張：在細節上，是這樣，但整體來說，大自然整個兒徒勞（細節上講，動物、植物，都是有目的的）。

尼采想到「輪迴」——所有事物的發生、發展、毀滅，都會以同樣方式再來一遍，乃至無窮——尼采哭起來了。

如果真是這樣，那命運就有規律。釋迦不這樣想。佛家輪迴說的命運，是可以選擇的，佛家認為「有情世界」可分六道：三善道、三惡道。你行善，上升為善道，你作惡，下墜為惡道。意思是你作惡，你行善，你自己可以選擇的，這豈非成了命運可有規律控制？

我看，西方東方兩種輪迴，都妄誕，都虛空。真是那樣，就好了。

老子、莊子的哲理充滿邏輯的矛盾，也虛妄。王羲之就在〈蘭亭序〉中指出過，有所批評。老莊的空靈是講實用的空靈，是高層次的「活命哲學」（《易經》也是活命哲學，《詩經》是苦命的悲歎）。我看老莊、釋迦、尼采，一路下來，都十分煩惱，他們和命運合不來。

命運，是非物質的，科學無法研究。奇怪的是，科學家都這麼安心探尋事物的規律，不關心事物的原因。愛因斯坦，點到上帝為止，在哲學上，他是票友。

科學家大都沒有形而上思想。到現在，問到目的，想不下去，許多西方科學家自殺。

巫術，是一種統計學，千百年來積累了無數統計例，算來往往神奇、準確。有什麼生辰八字、什麼面型五官，就有什麼樣的遭遇，這是「然」。為什麼會這樣？誰決定這樣？講不出，不知其「所以然」。所以算命相術不是哲學。

這麼談的目的是什麼？

因為平常沒法同大家談哲學，只能談有些哲學性的文學。我的用意是，做一個人，做一個藝術家，要不停地思考，這樣才會高超，高明，高貴。

思想，軟綿綿的，可以和宇宙對抗。貝多芬《第九號交響曲》，和宇宙抗衡，他勸宇宙。

人腦，現在在用的部分，也只占了百分之三十。腦子要用，愈用愈靈，還要多記，愈記愈精彩。陸游的兒子要寫詩，問父親，父答：「汝果欲學詩，功夫在詩外。」畫畫也是這樣，不能一頭栽在畫裡。中國當代畫家比不上中國古代畫家，就是畫外功夫太差。一群文盲在畫文人畫。廣義的文盲。

畫外功夫好，人就不同了。

記，記下來時，還沒有想的那麼好，還不成熟。要記到記下來，就是你想的那樣時，就好了，成熟了。這時，第一念來，是最準確的。

思想分三段：一，想的有了，記下來不確、模糊；二，記下來時，大致是想的樣子；三，記下來的，比想的還好。想是天然的，記是人工的，人工可以使天然的弄得更好。

記，比讀書還要緊。

說穿了，從前的中西畫家，自己都有筆記的。記著，到時候怎麼辦呢？平時記著的東西，一下子跳出來了。

「那個才氣超過你十倍的人，你要知道，他的功力超過你一百倍。」剛才來講課路上，我想到這麼一句。自己耕耘，自己收穫，自己培養自己，自己養兵千日用在一時。

一九五四年後，新小說九位作家的十一部作品，獲各種文學獎達七項之多。新小說派作家及讚賞者，兩路人合起來，形成一個大陣容。文學青年也愛上了新小說派，廣大讀者，從不感興趣到拿來讀讀、試試看，論壇上有了新小說專題介紹，甚至被列入教科書。

新小說家還出國講學，擴大影響。

新小說走運時期是五十年代後半，到八十年代中期，近三十年。這個發生、發展的過程，是正常的，不是暴發。暴發，跌得就快。

取一個作家來分析。霍格里耶（但新小說派的成就絕不止霍格里耶那個高度。各個作家很不一樣。談完後可以談談繪畫問題，看看我們到底在什麼時代應該做些什麼。在座的大致是在埋頭畫畫，商人是唯利是圖，畫家好像是唯圖是利）。

霍格里耶——新小說派創始人

霍格里耶（Alain Robbe-Grillet，一九二二—二〇〇八），新小說派創始人，主持人，領導者。第一部小說《橡皮》（*Les Gommes*），一九五三年問世，讀者寥寥無幾，但由於它的反傳統性，引起爭論。到六十年代，讀者猛然增加，發行到一百萬冊，日本還邀請霍格里耶講學。一九六八年，《橡皮》被拍成電影。《橡皮》被認為是新小說派的開山作品，霍格里耶成為領袖。

到一九七一年，這批作家聚在一起開專題研討會，探討作品理論。一九八五年，克洛德．西蒙，新小說作家，獲諾貝爾獎（他的小說，很少有人看得懂，但很有意思——所有流派的小說，不過是表達作者的聰明才智，你這樣搞，那樣搞，不聰明，有什麼用？紐約，整個蘇荷藝術區，就是在比聰明、比誰俏皮、誰機靈。凡是新創，就是不屑於你說過的話，他自己來一套說法）。

全名：阿蘭．羅伯—霍格里耶。曾學農，後做生物學研究，任農技師，到非洲研究，生大病。回國時在船上東想西想，想出《橡皮》這篇小說——反巴爾札克。

注意，不是反巴爾札克本人，是反那個傳統。

霍格里耶創作很多，可是都沒有像《橡皮》和第二部小說《窺視者》（*Le Voyeur*）那麼有名。這兩部水準最高，也是新小說派主要代表作。好多人沒讀過他的作品，沒有情節的情節，所以我來講一講。

他們慣用偵探小說手法，這一點很高明——拋掉那些婆婆媽媽的東西——接近繪畫上的立體派，不畫花花草草——取得一種短的、直線的效果，避免彎彎曲曲的洛可可方法。

《橡皮》，只寫一天的事，二十四小時內發生——杜邦教授晚飯後進書房，被兇手打了一槍。次日報載受害者不治而死。杜邦曾得過戰功勳章，有很多成就，任高職。另一個恐怖組織想把他所屬集團的主要人物都殺光，其餘九個已被殺，都在晚上七點後行兇。青年偵探瓦拉斯破案（全是虛的，煞有介事的），他去破案，進店，買到一塊橡皮（和這故事全不相干），不滿意。找來找去，找不到他滿意的橡皮。反覆用這個道具（他們這種寫法很俏皮。走火了，很容易著魔。第一次用，很新鮮，涉及心理啊、潛意識啊等等）。

瓦拉斯走訪警察局，走訪死者女傭，走訪對面愛偷窺的太太，走訪多處，又買橡皮等等。各人各說法，杜邦到底死了沒死？最後，到晚上七點他去杜邦家，扮演死者生前想見的木材商，進門，見人要射擊他，他先下手，打開燈一看，原來死者是杜邦。結尾，瓦拉斯接通警察局長的電話，局長說：「你知道嗎？杜邦沒有死！」

所謂反巴爾札克傳統，是這麼反的。什麼都沒有了。從前小說的構成因素都沒有了。前面講的意識流、潛意識等等，到了新小說派，都起了質的變化。前者還有相對的真實感，新小說派全沒了。

我們的生活，並不像巴爾札克的小說，不像「私定終身後花園」之類古典小說那樣的存在、進行，可是又不像《橡皮》小說那樣地存在，那樣地進行。

霍格里耶很得意。他捉弄了讀者。

我們把巴爾札克個人和霍格里耶個人放在一起比較，誰的成就更高？這是個大問題。

現代藝術，是要反一切傳統。新小說可以反傳統，但不要否定。這裡有個弔詭的問題：如果沒有巴爾札克，沒有巴爾札克的傳統，沒有傳統和新小說派作對照，霍格里耶的小說是什麼？象徵性地說：如果沒有《蒙娜麗莎》，杜尚（Marcel Duchamp）的兩筆鬍子添加到哪裡去？

我們看到、遇到的時代，是個反傳統的、破壞的、解構的時代。弄得不好，人類文明就此完了；弄得好呢，可能來到的是一個人類文化重新整合的時代。

我不說我有信心——我有耐心。看看這個解構，是解死還是解活。地球還有個十萬年好活吧，那麼這十萬年都弄解構這件事？如果世界上全是「現代藝術」？

辛格（Isaac Bashevis Singer，一九〇二—一九九一）、索忍尼辛，不管這一套，照樣老寫法——也不夠，也不佳。我們不能守舊。

我要創新，我也不反傳統，我也不守舊。

他們急於換時裝，我是只管練身體。要嘛不新，要新新過你的頭，走到前面去。

《窺視者》——旅行推銷員馬蒂亞斯到一個島上推銷手錶，上午十點靠碼頭。啟航前，一個水手說家事給他聽，他下了船就去了他家，看見照片，見一個小姑娘很美。他去找她，村上說小姑娘已失蹤。次日退潮後，海邊找到了女孩屍體，裸身，有傷。後來推銷員被指為謀殺者。

這種東西，寫起來很痛快的。過去一切小說的方法都被推翻了。如果這樣的作品全世界流傳，流傳一百年，那人性全沒有了。苦啊。

你看現代舞蹈，一個個怪動作來嚇我——我不嚇。

地鐵上看見三個男孩輪流和一個女孩接吻，她愛誰呢？我們生在這樣一個時代。

從繪畫的變形到破壞形，到沒有形。音樂從不協和性，到無基調，到非演奏性。

道，禪，流到西方。中國很早有過這類東西。當頭棒喝——悟了悟了悟了。

那麼一本小說，戴那麼個大帽子。大規模去講，可以的。不能直截了當去講——做個藝術家多麼難。

你沒有意見，不算；你有意見，又不能隨便講。

唐詩宋詞，多少愛情，沒有一篇講「我愛你」。

絕對不能因為別人講你好，你就以為自己是對的。丹青講我文章好，我總是心裡不以為然。

從正面去講，藝術家不應守舊，應該突破、新創，這是良性的。負面講，一個藝術家裝神弄鬼，捉弄讀者，那是惡性的。但不能因為負面，就看不到正面。藝術應該創新。

對待這個解構的時代，只能有兩種態度：一種是守舊的態度，走前人走過的路，依附性的，從屬性的，不管外界如何講，我行我素，在模仿中加入自我。一種是超越的態度，把解構的潮流都看成舊的，去超越它；把古典、現代，都作為背景，不參與解構。

守舊，也不參與解構。

兩種態度都非常難。前一種，依附的，從屬的，不能成為主體。後一種，超越的，也是難：舊的要超越，新的也要超越，雙重超越。如果不能超越，又不參加解構，只能守舊。

古代，群山重重，你怎麼超越得過？有人畫出一張肖像，比《蒙娜麗莎》還好，那倒服了。有人對我說，洞庭湖出一書家，超過王羲之，我說：操他媽！

總結：要知道。寧可做不到，但要知道。

陶俑、兵馬俑，我家裡沒有——我看得懂。你不能把故宮搬到家裡來，也不能把羅浮宮搬進家裡來——我看得懂。你進去，所有古董為你存在——何必占有藝術品？

守舊、超越，也不是絕對的。兩邊走走。到底走得如何？天命。

要繼承，可都要變掉它。走得通，看怎麼去走。我不像巴爾札克那麼走，我也不像新小說派那麼走。

大前提弄清楚，看小事，一目了然。

要接觸歐洲文明。中國文化修養高，瞭解歐洲最好。「五四」那批人，中國文化修養不夠，瞭解有限。假如嵇康、阮籍、八大山人出來，那還了得。嵇康一定是大鋼琴家。

可以寬慰大家的是，人死了，知道什麼病，比不明不白死，好得多了。

「文革」時，三個人押著我換地牢審查，一前，一後，一中。我還推著勞動車。我想：這個人是蘇格拉底。

畫寫實的，每一筆都要表現你的性格。中國山水，一筆筆下去，全是性格。畫上，要筆筆分明，又要含蓄。王羲之的字，一筆一筆佩服。

第76講

新小說（二）

薩洛特《趨向性》《無名氏畫像》

1993.6.27

文學是腦的藝術，無聲無色，和感官沒有關係，卻感動你。魔術性最大就是文學，你感動了——就是幾個字呀！

想念中國，去看古代藝術品。在博物館中看到中國藝術，我很高興。它們是提前移民，安全在此，為國增光。

一個偉大的藝術家，他的直覺，直通觀念。

薩洛特與其作品

上次講了新小說派男作家，今天講女作家：娜塔莉．薩洛特。談到女作家，會談到我們自己，然後算是結束這個學期。

薩洛特（Nathalie Sarraute，一九〇〇—一九九九），是俄羅斯後裔，兩歲父母離婚，父親遷居法國，童年在父母之間輾轉奔波，後隨父親定居巴黎，可知是貴族。成年後幾次回俄國，其餘時間住在巴黎，以法文寫作。做過律師，後專事寫作。第一部短篇小說集《趨向性》（*Tropismes*），對語言加以評批（近代有思潮，認為人類語言有問題，許多事出在語言上）。她注重內在題材。內在題材，即傳統小說中的內心活動：愛啊，恨啊，喜怒哀樂啊。但她對小說方法要求革新。這部作品名是從植物學取來的詞彙——趨向性。

我門口的常春藤，沒有眼睛，凡能爬到的地方，爬過去，爬過去，爬不過去，會結疤，停止。然後一片片葉子，平均地覆蓋，像魚鱗一樣。沒有眼，也沒有意志，真會生長。我佩服極了！難怪說有上帝。

薩洛特從植物觀點寫人的頭腦中難以覓察的變化，其實還是探討潛意識、下意識、意識的問題。當時沒反應，一九五七年重出版時，引起重視。

一九四七年，出《無名氏畫像》（*Portrait d'un inconnu*），被拍成電影，比《橡皮》等出得還早，可以算最早的「新小說」。

寫父親吝嗇，見女兒會花錢，且一天天大起來，就逼她出嫁。父女感情不好，後來女兒嫁了闊佬，兩人感情好起來。書中敘述者，像個密探，用種種方法來分析、窺視父女倆言行。

沙特對這部小說很感興趣，寫了序，說：「我們時代有這樣那樣的奇事，『反小說』即其一。」

她很有才華，還寫論文《懷疑的時代》（*L'Ère du soupçon*），向傳統小說公開挑戰。又寫了《從杜思妥也夫斯基到卡夫卡》、《對白與潛語》、《鳥瞰》，都屬新小說派的理論文獻。

她能文能武——寫小說，文；寫論文，武。

雕塑、建築、繪畫，是生的藝術，要活下去的。舞蹈、音樂，是死的藝術，流動的，流過去了，就沒有了。文學是腦的藝術，無聲無色，和感官沒有關係，卻感動你。魔術性最大就是文學，你感動了——就是幾個字呀！

文學、藝術，一兩個人叫好，就可以了。

她還創作了小說《馬爾特羅》（*Martereau*），一九五三年出版，還有《行星儀》（*Le Planetarium*），一九五九年、《黃金果》（*Les Fruits d'or*），一九六三年、《生死之間》（*Entre la vie et la mort*），一九六八年。這些著名小說中往往沒有具體人物，只以人稱代詞指代主人公，顯露微妙複雜的心理活動。小說中的世界非常封閉（所以我曾說沙特的存在主義是「悶室中的深呼吸」），沒有向度（我是追求向度的）。

*

不興奮，不能做成這件事。可是興奮本身是錯的。要把興奮控制好，還能做出事來。

受人稱讚，最容易叫人掉下去。那人稱讚你，比你低，你吃進，你比那人還低。

（全武：歌德的《愛的親合力》寫得比《浮士德》好。木心：可別這樣比。

不要比順了口。什麼我爸爸鬍子比我舅舅鬍子長——不能這麼比。）

昆德拉講：以後的時代屬於福樓拜，不屬於佛洛伊德。我聽了想：我倒可以問問昆德拉，如果真是那樣，太好了——不會是這回事呀。

費解。臺灣有些作家追求費解。印度最近出了一個大作家，有作品《金童》（*A Suitable Boy*），被稱為印度的托爾斯泰（他的姓名我忘記了），我看了很高興。蘇聯還有這樣的傳統：老老實實寫，寫實傳統還在那裡——你去弄費解吧，弄到討人厭。

生命意志、潛意識、性心理，確實是近現代的新發現。

現在看來，這些新發現都被發現者本人誇大其事，想入非非。這些新發現從一開始就壞在發現者手裡。影響所及，弄得捉住一條，就算成功——這個，就是生命意志，懂嗎？那個，就是潛意識，ＯＫ？

好像事情就這樣完了。紀德等等，許多本世紀大作家都不免如此。

人性的深度還有的發掘哩！不能光靠這種辦法。杜思妥也夫斯基、莎士比亞、曹雪芹，懂什麼性心理、什麼潛意識？

性心理之類，不過是科學實驗，不是創造，不是藝術創作。我看這些，靜靜地看，靜靜地想，靜靜地寫，我行我素——我向來不買佛洛伊德的帳。看嗎？看的，但不當他一回事。

我有俳句：走在正道上，眼睛看著邪道，此之謂博大精深。

有人走正道，一眼不敢看邪道。有人走正道，走著走著，走邪道上去了。

現代鄉愿，藝術之賊也。

我看科學、歷史，但不看當代的中國文學。

正與邪的問題，全世界都在鬧，鬧不出結果。

功夫在詩外、畫外，是參禪。大家還不習慣參禪。上次提出來，你們有人問：畫中功夫還沒學好，怎麼在畫外下功夫——不是這麼說法。

破執。解除迷障。

道家曰：將欲歙之，必固張之。將欲取之，必固與之。

耶穌教訓：放棄生命的人，可以獲得生命。

鋼琴教師說：放鬆，放鬆到兩個手都好像死了，彈十個小時也不累。

不肯放棄畫中的功夫，怎麼能得到功夫？

都以為畫內、詩內，技巧是無限的。這是誤解。你看到的是大師得心應手的技巧，另一面你看不到。

舉例說，杜氏書中不講哲學，不掉書袋，他流放時，書單上都是哲學書，說：一定要寄來，這些書是我的命根子，否則我活不下去。可是他書中哪裡讀得到這些？

貝多芬是想做哲學家的。

儒家說：一事不知，儒家之恥。現在呢，都不知，恥也不知。

使徒保羅說：「看得見的東西是被看不見的東西主宰的。」

大家來聽我講世界文學史，就是活生生的畫外功夫。大家並不是文學家。

為什麼要學世界文學史

下半堂課，即興談。從哪裡談起？從課文談起。

一九五六年，法國正在弄「新小說」。一九五六年，中國正在弄「反胡風」。人家在前進，我們在後退。「反胡風」，反右，文藝為工農兵——什麼也留不下來。那些為工農兵的文藝，工農兵不喜歡呀。

說這些，不是訴苦，不是指控，不是懷舊。我的意思是，現代文化第一要義是它的整體性，要做一個世界公民；讀者觀念，世界觀念，必須要有一個整體性。面對世界，面對歷史，要投入進去。我個人占了什麼便宜？就是少年時期就把自己放在這個整體性中。

現代人，當代人，說實話，我不感興趣。年輕時，少年氣盛，只面對未來，只關心未來。母親說：你志向對，可不是太苦了嗎？我說：「是，只好這樣。」

小時候看福樓拜他們，總覺得有一天會成功。可是我這一代，包括你們一代，在未來，還是不會成功——沒有未來這回事。

這個時代，這樣解構下去，巴爾札克、杜思妥也夫斯基，都給解構掉嘍！

前面講植物的智慧性，那是無可奈何，寄託一點點希望。陽光中的蜉蝣，其實快要死了。應該怪我們來遲了。我們是前人的讀者，我們後面，沒有讀者了。

臣門如市，臣心如水。

我喜歡發高燒四十度寫作。發熱發到不倒下，好開心。

我們這個上半學期最後一堂課，寄語一些話，一個個講，盡量照顧大家自尊，說到悲觀的意思，是要快樂。

知識、學問，使人通達，使人平靜。也有人得點知識，張牙舞爪，日夜不得安寧。

先講大陸。看我們對大陸的態度。

一九八二年離開大陸，十一年，種種消息傳來，眾說紛紜，莫衷一是。大家對這些要有衡量、判斷。你到一個地方去，說不清，看一本書，對一個人，都說不清，對不準。

思想理論的好處，是看到一個東西，就能抓住。

別人衡量你，你衡量你自己。別人問你的兒女或者你的病，你滔滔不絕——完了。

我們講課長達四年。為什麼要學世界文學史？就是剛才說的，文化的第一要義，是廣義的整體性。

加一個「廣義的」。

如何在這個整體性中取得一個我們自己的制高點。

因為鄉愁，海外華人看電視連續劇，又是一個迷障。也許你眼光尖銳，觀點正確，但是時間花得那麼多，而且會迷。

鄉愁——「瘌痢頭兒子自己好」（滬語），先見兒子，最後見到瘌痢。

這是迷障。

我看這個，一點不會掉進去，抗毒能力很強。要冷靜，不能偏愛。中國是個病，想想，想成了病。

比「文革」那時，要好。想念中國，去看古代藝術品。在博物館中看到中國藝術，我很高興。它們是提前移民，安全在此，為國增光。

不要找好人。學林的迷障，是「好人」——只要是「人」，就好。古代中國人、現代中國人，我分得很清楚。中國的國寶，都到外國來了。

難。回去也不好，不回去也不好。騎著兩隻老虎，都下不來。

騎虎難下，虎也怨。

談虎色變，虎也驚。

講了四年課，滄海桑田。許多學生走了，走了不來了。怎樣判斷？「朋友一個一個來，一個一個去，當我想到他們是人類，我就原諒了。」有一句：「上帝不給我朋友，只給我一些小說的題材。」有人來討去我三份作品拷貝，下地鐵走了，好像從一棵樹上摘了三片葉子。

走了，又回來的，特別顯得珍貴。耶穌放羊，走失一隻，找回來，比其他九十九隻還寶貴。

哪一天，你自己會對自己說，我成熟了。我到美國，成熟了。畫，我跟塞尚，又受林風眠影響，忽然，拋開了。影響底層，還在。

聽了四年課，聽下來，不要說奇蹟，但可以說是怪事。沒有人強迫我講，沒有基金會資助，居然講的講，聽的聽——這樣的怪事，現在快要功德圓滿了，我也快要回去了。

可以有個不大不小的酒會。可以拍照，可以錄像。要不要一個「畢業證書」？浪漫一下，作為一個紀念品：我的一幅版畫，下面是說明、題詞，統一鏡框，將來掛在誰家，看到了，都一樣。

這樣一點小往事，供紀念。

可以說功德圓滿。講完了，我要回去了。我畢生不會有第二次了。總算以失敗開始，以成功結束——大家一定會聽完，我也一定會講完。

出不出版呢？我一個人不高興去做。將來大陸有沒有人來做？有沒有這個觀點？誰來出錢？

為什麼講課？我有一個不可告人的目的——我要訓練我講話的時間和內容，要像希臘雄辯家那樣講演。四個小時，要能講下來。

我回去，不寫信。沒有消息，等於死了。

我出國，親朋一封信也不寫。這種做法，藝術家也很少。我不寫信，兩個字：決絕。

這是尼采的態度。和華格納斷了，再也不可能續。我把這個決絕，當做一種力量。

近人情，近什麼人？做一個真正的藝術家，靠的就是決絕。嵇康，決絕的大師。老子、耶穌、貝多芬，都決絕。

大家留戀不去。再講個主題：直覺和觀念。

你們不想，我常在想：你們怎麼樣？前提是：一個偉大的藝術家，他的直覺，直通觀念。

比較差一點的，他有直覺，但不夠，要通過概念進入觀念。在很多情況下，有直覺的藝術家，要通過概念進入觀念。

更多的人，沒直覺，沒觀念。

塞尚，直覺好，根本不需要概念，直通觀念。

丹青和我一起去看畢卡索晚年作品展。我不喜歡——敗了。丹青通過概念去看，以為那是大師晚年，必然好。後來，幾年後，丹青知道了不好。世說新語。

其實，不從直覺到觀念，必然從概念到概念，進入不到觀念。

在座直覺都還不夠，大家都偏重概念。美術學院就是教了一大堆概念，誤人子弟。

觀念，就是藝術的最高境界。

這是一個重要的問題，致命的問題。直覺（先天），觀念（後天）。先天之後，花很大功夫，得到觀念。

曙光。亮點：什麼是直覺？小孩、古代人，都有好直覺，也是一種誠意。

是給後來的概念害的。

道德是智慧的一部分。智慧的一部分用在人際關係上，叫做道德，不是智慧。

所以，要保存內心的童貞、崇高、純潔。

第77講

新小說（三）

克羅德．西蒙《佛蘭德公路》 米歇爾．比托爾《變化》

1993.9.26

文學家，最好是青年時代有點經歷，顛顛倒倒，中年晚年平靜下來，好好寫。可是音樂家、畫家、舞蹈家，不必吃這些苦。一個畫家不必經歷一次大戰，也會畫出立體派——這一點，文學家吃苦了。

西蒙不急於成功，寫了四十多年，幾乎每部小說都很成功。他怎麼活呢？莊子是要飯的，陶淵明借米，西蒙到底是法國人，他種葡萄，養寫作。這樣一來，我倒也替他放心了——陶潛要是不種菊花，種葡萄，多好！

只有懂古典，才能懂浪漫，這是浪漫派的本分。只有懂浪漫，才能懂各種現代潮流，這是現代派的本分。只有懂得現代派，才能向前走。

克羅德．西蒙——新小說之父

上半年講到新小說派，講到薩洛特《無名氏畫像》。今天講下去，講克羅德．西蒙（Claude Simon，一九一三—二〇〇五），他是新小說派主要人物。一九一三年生，現在（一九九三年）還活著。他在這派中坐到第四把交椅。一九八五年得諾貝爾獎，上升為大師，獎詞稱許其「與時代緊密結合的詩人與畫家的想像力」。《費加洛報》尊稱他為新小說之父，法國文化部長當天打電報祝賀他。

他長期屈居新小說前三名之下（列名），得獎後才名聲大噪。諾貝爾獎，好像是個世界性的中狀元。中狀元就會有運氣。中國許多文學家都中不了狀元，沒有狀元命。

大陸、臺灣，一天到晚在等這個獎。

西蒙生在當時尚屬法國殖民地的馬達加斯加。父親在一戰中身亡，由母親養大。在牛津、劍橋深造過，初期想當畫家、攝影家。二戰中應徵入伍，上前線戰場，馬上被俘虜（法國軍事上失敗很快，精神上從來不敗。德國兵借住，法國人不跟他們打招呼），逃出來，在法國參加抵抗運動。那些經驗，正好用來弄文學。

文學家，最好是青年時代有點經歷，顛顛倒倒，中年晚年平靜下來，好好寫。可是音樂家、畫家、舞蹈家，不必吃這些苦。一個畫家不必經歷一次大戰，也會畫出立體派——這一點，文學家吃苦了。

西蒙後來對這些經歷津津樂道。得獎時，還說起他如何被俘，如何吃苦。這種事，我不喜歡講，這是家裡講講的事。這類苦，中國人吃得多了。

西蒙不急於成功，寫了四十多年，幾乎每部小說都很成功。他怎麼活呢？莊子是要飯的，陶淵明借米，西蒙到底是法國人，他種葡萄，養寫作。這樣一來，我倒也替他放心了——陶潛要是不種菊花，種葡萄，多好！

第一期作品：《作弊者》（*Le Tricheur*）、《鋼絲繩》（*La Corde raide*）、《居利韋爾》（*Gulliver*）、《春之祭》（*Le Sacre du printemps*）、《風》（*Le vent*），《草》（*L'Herbe*）。在新小說作品遭冷遇時寫成這幾篇，因此西蒙不受人歡迎，作品也未離開傳統，小做嘗試。他性格孤僻寡言，默默無言種葡萄，沒人知道他。

第二期作品：《佛蘭德公路》（*La Route des Flandres*）、《豪華大旅館》（*Le Palace*）、《歷史》（*Histoire*）。這時，新小說已經走紅，他得以在文壇上立了腳。評家認為他「用善於觀察的目光在寫」。他的確有自成一家的寫法。

第三期作品：又寫《導體》（*Les Corps conducteurs*）、《三聯畫》（*Triptyque*）、《經一事，長一智》（*Leçon de choses*）、《農事詩》（*Les Géorgiques*）、《蓓蕾妮斯的秀髮》（*La Chevelure de Bérénice*）。以上都是晚近時期的作品。目前西蒙還活著。佩服！創作力旺盛。這種小說，讀起來吃力，寫起來也吃力。據說評家可以從他的小說中分析出許多嚴密的結構。

我想問：為什麼要這麼嚴密呢？

他喜歡畫畫，所以書中求油畫般的色彩效果，用回憶、感知、想像、幻覺等等，放在同時性、多面性的描繪之中，也可以說是文字的繪畫。他有時太過分追求繪畫效果，但我還是喜歡他，因為他誠懇。

愛音樂，作品也往往表達音樂性的效果。

一九五四年，西蒙大病。病癒，寫成《春之祭》，文學上有大突破。許多大家都是這樣，病後，風格出來了。我不是要大家生病，病了，別急，先治好。其實就是吃苦，吃過後，天才會大不一樣。

要讓個性統攝自己的作品。梵谷太明顯了，全是他的個性。八大山人，一看就是他。平常要下功夫——讓個性統攝作品。

我探索了四十多年，寫了近千萬字，大部分毀了——自毀。一直這樣過來，以為自己會寫的。可是直到一九八三年，才知道以前的東西沒有找到個性，好像替別人在寫。

找到自己（個性），什麼樣的自己（個性）？

找到了——很窩囊的個性。中國的作家、畫家，你說他們沒個性嗎？有的，很快就找到的，但那是什麼個性？

話分兩頭：個性是重要的，還要看是什麼個性。所以要把「什麼樣的自己」放在第一項，之後才進入第二項——找到自己。每個偉大的人物都是同自己抗爭的。荷馬、彌爾頓，瞎了眼，寫詩。博爾赫斯瞎了，說：我得救了。貝多芬，那是上帝叫他聾。

不能聽我這樣講，愈聽愈洩氣——「我沒什麼才能，天性也不夠，反正我完了」——不是這樣的。命運、菩薩，都不要相信。要抗爭。

命運保佑強者，西諺是：天助自助者。

多數人——我指的是文藝界阿狗阿貓、阿三阿四——一上來，個性就暴露無遺，不去弄修養；把自己的五臟六腑拿出來，放在稿紙上，簽個名，就是作品。要修煉個性。命，可以是大盜，殺人，結果，可以修道，成佛，看你修不修。

西蒙的小說《風》，採用的一個新方法是反中心人物。書中人物無個性，受盲目的力量擺佈。這觀點早有了，存在主義講過了。存在主義之前，也有人早講過了。

這種調調，現在看，陳舊了。「世界荒謬」，我以為不用去說它。人物無個性，也寫不出的——無所作為，也是一種作為。這些命題，他們還沒寫累，我已經累了。西方炒了一百年了，還沒有累，不膩嗎？我管我飛，希望碰到中途島，歇歇，看看遇到什麼路人。伊卡洛斯飛向太陽，跌下來，我有俳句：

「我在中途島，遇到了白髮蒼蒼的伊卡洛斯。」

《佛蘭德公路》，最有代表性。純熟運用繪畫效果，使小說構成回憶和感覺的建築物。

你們以為西蒙這種方法好不好？我以為繪畫、文學兩碼事。文學一路看下去，是時間的過程。古人「一目十行」，是比喻。音樂因為有和聲，占了大便宜。文學不能有和聲，吃虧了。文學只能是一條線進行，即使字字珠璣，還是一條線，不像音樂可以同時進行。

繪畫，是個平面，壁畫再長，時間感還是有限，看到後面，前面早忘掉了。用文字暗示色彩，可以。但色彩是明視的，面對面的，所以我的辦法是隱去畫家，顯示繪畫性。

文學，千萬不要模仿音樂。他們把詩模仿音樂，不好的。「春眠不覺曉，處處聞啼鳥。夜來風雨聲，花落知多少。」如果音樂的韻腳也這麼來，像什麼？

詩歌詩歌，一直誤解到現在。詩是詩，歌是歌。

我的詩只能讀，不准朗誦的。詩有微妙的默契，讀時，自有韻律流動，一朗誦，全沒了。

我現在不太聽音樂。我讀樂譜，讀時，可以品味到那種韻味。

（停下來，哼蕭邦一曲的開頭兩句。）

強調文學的繪畫性，是自設羅網。在實體上，不要讓文學有繪畫的外在效果。我寫的東西始終要告訴大家：這是文學，不是音樂，不是繪畫——我的文學，是步步為營，絕不設防，佈滿陷阱，通行無阻。

下棋、擊劍，都是這樣。你走棋、出劍，要知道他下一子、下一劍是什麼，你下一子、下一步，已經迎上去，再下一步也埋伏好了，等待反攻。

兵法的態度，擊劍的技巧。

詩中有畫，畫中有詩，我聽來是在挖苦人、罵人。我是詩畫兩棲動物，難免被罵——我先罵在前頭。

西蒙，我還是喜歡。他嚴肅、誠懇，福克納之後，他是最具現代性的。

讓大家看死命做作的東西，看膩，再看脫略自然的作品，是一種救贖。（座中有學生問：什麼叫做「脫略」？木心：瀟灑，在重要關頭放得開，在乎到了不在乎。）讓他們去弄吧。他們把文學置之死地而後快，我把文學置之死地而後生。

藝術，弄到現在要人命，天生難懂。十八世紀用腦和胃寫文字，很實際；

十九世紀用心和腎臟寫（愛情）；二十世紀用眼睛和手寫。我們呢，要用靈魂和皮膚來寫。

我是落後在本世紀前面。

再談西蒙。他把繪畫方法放在文學中，不是我說的，是他自己公開講的。他的小說《三聯畫》，講明了用繪畫的三聯畫手法。他自己說：構成作品統一性的，是繪畫性質的統一性。

他大概很得意。我總覺得有點自擾。

「三位一體」，是宗教提出來的。自然中好像沒有這回事。西蒙想做畫家，做不成，在文學中解解繪畫的情結，我覺得是分外事。我有做不成音樂家的情結，那就讓這情結去好了，不必放在文學中解。

又，他在文學中只講印象，不談主見，又太做作了，作家、讀者，都很累。杜思妥也夫斯基的深度，自自然然呈現出來，莫札特大把大把揮霍他的才能——我願意和讀者分享快樂。西蒙的小說，如果你們偶然得到，不妨細細看；看某一段，看懂了，就可以放下。要看全書，太累了。

我常把藝術比作酒，從葡萄摘下來，發酵……這過程非常慘淡、黑暗，一旦釀好，明豔爽口，飲之陶醉。

現代藝術非要在你喝酒時把釀酒的事統統告訴你，拉你到酒窖過程中一邊看一邊喝——何必呢？

米歇爾．比托爾及其作品

米歇爾．比托爾（Michel Butor，一九二六—），法國人，巴黎大學學哲學，後做中學老師，再後來在埃及、英國、美國等地任教。一九五七年發表《變化》（*La Modification*），得雷諾多（Renaudot）文學獎，從此專門寫作。評家認為他是個「思想活躍、學問淵博、抱負遠大的作家」。大學時對超現實主義和現象學發生興趣，後來認為這兩者可以在小說中結合。第一部《米蘭巷》（*Passage de Milan*），把詩和哲學結合，其影響來自前輩馬拉美、喬伊斯、卡夫卡，還有繪畫的抽象派（好像脫不了這些來路）。

說說影響——一個藝術家，要有受影響的必要。莫札特和海頓，明明影響了貝多芬，到了貝多芬的《第三號交響曲》，自己的風格來了。

我呢，像個乞丐的碗，什麼都要，盛來的東西，吃光，再去討。文學的大戶人家，我都去討過——遭遇很奇怪：我在大戶人家討到的都是最好的東西。

而且我這個乞丐是付錢的，我要評論讚賞他們的。我吃過尼采家的地糧，一輩子講不完尼采的高貴，我吃過耶穌手裡的天糧，也一輩子讚歎耶穌的智慧聖靈。你們聽我講課，快四年了，受到我影響的人，有。有的人怕被人說受木心影響，那就小下去了。我是這樣想：你認為受一個人的影響是不好的，那麼你已經受了影響——壞的影響。

最好多受影響。

你受老子的影響，不會變成第二個老子。多受歷史上先輩的影響，你會成熟。

課講完了，以後大家來往就少了，可能就沒有來往了。見了面，也言不及文學——美國快餐廣告：「早上好，再見！」（美國俳句）。我講的不是文學史，是一部怪誕小說，預計兩百多萬字。現在我不敢去動它。這是後話。

比托爾最早的作品是《米蘭巷》。《變化》是成名作，意思大略：一個人去羅馬，在火車上，週五，早上——用第二人稱視角，用「你」，算是一法；不過你用新法，你一定要小心啊——他想著跟妻子分居，把情人弄到巴黎來。但一路勞頓，夾纏各種回憶、念頭，最後到了羅馬，想穿了，不找情人了，回巴黎，寫作。

他們寫的生活是這樣。在一個有限的經歷中，把它弄成萬花筒。據說寫得很精緻複雜。他們的生活經歷有限，完全靠技巧。他們只看到幾顆心：妻子的心、情人的心、孩子的心。

總的評價：新小說派，第一特徵是反巴爾札克，認為傳統小說靠虛構故事、安排情節、設計曲折、有計畫安排人物的命運，都是愚弄讀者。

對不對呢？我覺得倒也對的。看看中國古代小說，好有好報，惡有惡報，大團圓……是這樣的。舊小說長此以往，小說是完了。

巴爾札克給他們綁起來批鬥——我覺得巴爾札克同志比他們偉大、光榮、正確——巴爾札克是老同志啊！

新小說派是怎樣寫的呢？分三點：一，注重寫物件、環境；二，迷宮式的結構；三，採繪畫效果。

自古以來，小說的中心是人，一向認為文學是人學。新小說派認為小說應該重視物，認為所謂現代人是處在物的包圍中。人、世界，是看不透的，只能看到物的表面。

我覺得又對又不對。傳統小說，有時是太主觀，移情移物，小說主角心情一壞，天氣也壞——是不可取。可是新小說派要把人趕出小說，那麼請問：你的讀者是人是物？

「左傾」幼稚病。

比托爾說：小說不僅是空間的迷宮，也是時間的迷宮。總之，不是要讀者懂，是要讀者不懂。

他們是有兩把刷子：一是重複。重複意象（如《窺視者》中，種種物體都是「8」字形，又如《橡皮》中，主人公買橡皮，丟了，又買橡皮）。這種辦法是很聰明的，結成一個煞有介事的大效果，我稱它是「假伏筆」，比真伏筆還有效果。真伏筆要交代的，他們不交代，硬來。以後我也要用，軟來——我們都可以用用看，用得它精彩。

我要重複到每一次都讓你欲仙欲死。

一是時空交叉，而且是封閉式的，事情發生在車廂內、一個島上等等，逃也沒處可逃。他們畢竟是法國人，精心策劃，嚴密佈置。

除了這兩把刷子，比托爾還有所謂立體對稱型結構。此外，還有克羅德的拼貼繪畫法，霍格里耶的小說套小說，紋章工藝法等。

對我們有什麼意義？有什麼用處？

時間表：新小說走運是五十年代，一九四八、一九五四、一九五七，是以上諸家（薩洛特、西蒙、比托爾）小說發表成名時——那時，中國在做什麼？西方古典作品留下來，現代作品也留下來，可是我們那些工農兵作品在哪裡？真是一場噩夢——那時，法國新小說派真可謂代表世界潮流。

實際一點說，我們知道現代文學的新方法、新成果、新方向，我們可以用——好用，你就用；不好用，你就創造新東西。項羽說：彼可取而代之！我們說：彼可取而用之！

他們的方法，不失為新方法。

意識流，你不用，排斥，你傻啦！你家電燈我不用，我還是用煤油燈——那你去用，熏死你！

淺顯一點說，看名畫原作和看畫冊，兩碼事。

要廣泛吸收。我的作品中，間接地，處處吸收現代文學。你們要去直接地學。上課，我告訴大家飯在哪裡，牛肉在哪裡，你們自己去拿。

只有懂古典，才能懂浪漫，這是浪漫派的本分。只有懂浪漫，才能懂各種現代潮流，這是現代派的本分。只有懂得現代派，才能向前走。

現代派小說，說古典派小說愚弄了讀者，不久的將來，也有人會批評現代派小說愚弄了讀者。我從旁看，一笑了之。天道好還。我不想愚弄讀者。

有人說我是個老派文人，士大夫氣，不懂現代的。大家聽我講古典、講現代，將來要幫我爭口氣。

至於「學貫中西，博古通今」的說法，我向來討厭。「學貫中西」，是兩隻腳的圖書館，「博古通今」，是走江湖的草藥郎中。

最近寫了兩俳句，送給大家：

「傻得可愛，畢竟是傻。」

「智慧可怕，畢竟是智慧。」

你們初學藝術，是虛榮帶向光榮。

第78講

原樣派、荒誕劇、垮掉的一代

索萊爾斯　貝克特《等待果陀》太陽族　冷型、熱型

1993.10.10
在李斌家

現代藝術一味否定傳統。沒出息。如果你是強者，為什麼要否定傳統？愈新，愈脆弱，總要反前面的東西，毀掉。真的強者，自己往前走。
已經存在的藝術，我認為已是地球的一部分，地球有什麼好反的？

新小說派，失落的一代，迷茫的一代，說穿了，是「智者的自憂」，誇大了世界的荒謬。世界上是健康的人多？還是病人多？在他們的作品裡，全是病房、病人。

一些青年組織「垮掉公社」、「垮掉村」。群居生活，上街遊行，焚燒原子彈模型，向民眾演講，朗誦詩，蔚然成風。他們要自由——吸毒、群交的自由，不洗澡、不穿衣（詩人誦詩到一半，脫褲子）。

原樣派的文學觀點

法國新小說派，就算講過了。今天講「原樣派」（Tel Quel）。近代現代，派別多了，連日本也有很多。一個派，幾種講法。原樣派，其實是新新小說派，是從新小說派發展延續下來的，在法國是很有影響的一派。

菲利浦・索萊爾斯（Philippe Sollers，一九三六—），一九六〇年和一些二十多歲的作家創刊《原樣》（*Tel Quel*）雜誌，他說：文學要獲得的世界，是一個原封不動的世界。他們反對改變世界的一切企圖。

振振有詞。都有一個說法。

從前是創作在前，理論在後。現在是理論在前，創作在後。這是商業社會的反映——先做廣告。我也是從愚蠢到學乖了一點——是可以為出書，先說一說。

原樣派出叢書，有專論。

文學藝術家是個體的。所謂個體，就是自在；所謂藝術，就是自為。團體，總是二流。

偉大的寶塔，旁邊沒有別的寶塔。沒有妻子朋友陪伴。一群寶塔，是對塔的誤解。斯賓諾莎、達文西、亞里斯多德，一個人代表一個時代。也有一群人，成就文學藝術上的時代的星座——請注意用詞：我不用「流派」。星星是發光的，每一個藝術家已經是星了，同樣能光輝燦爛，照亮時代。

我也希望星座出現在當代中國。

整體地看，現在的中國有起色——不是希望，是起色。

當然，起色也就是希望。怎麼說呢？當代中國，顯示了活力，活力就是才氣。道德、是非觀、聰明、才氣，過去都被壓制了，抹殺了。這十幾年，大為放鬆，「人」的概念在逐漸復甦。從各方面看，出現各種異人，各行各業，異人在醒過來。才氣有的，多是歪才——畢竟是才。

過去全部戒嚴，全部管制，全部不行。

歪才，導向正才，就好了，但這需要一個大的勢力，需要有集團。靠宗教，靠政治，都不能拯救人性，倒是只有文學和藝術。

索萊爾斯，一九六〇年與其他作家共創《原樣》雜誌，他說：「文學要獲得的世界，是一個原封不動的世界。」

可以詳細講，現在只是插話。總之，你要去做，要有經濟背景、政治背景，當然，也要言論自由。要有十來個人，出去講，整個中國為這十來個人著迷。等於是大眾的辯護律師，把這個時代講出來。

有這樣一群星座，可以吸引一大批歪才，導過來，變成正才——現在只能做實心寶塔。

有沒有星座形成的可能？現在沒有——找不到人。

「我勸天公重抖擻，不拘一格降人才。」龔自珍，總算一個有心人。

「我勸天公重抖擻，獨具一格降正才。」我這麼說。

說這些什麼意思？我要反問：宗教為什麼流行幾千年？哲學為什麼吸引人一生苦苦思想？科學為什麼被人群起研究？因為人認為有進天堂的可能（信仰宗教），認為有得到真理的可能（研究哲學），認為有認識世界的可能（從事科學）——進天堂了嗎？得到真理了嗎？認識世界了嗎？

沒有，還在進行中。因此，世界很熱鬧，很有希望。

張良幫劉邦打了天下，走了——這是藝術家——黃石公教他，可能這是最後一招。「政治的險惡，是當你離開黨派時，沒有不說你背叛的。」紀德說。

索性講紀德。他的名言：「擔當人性中最大的可能。」我看到這句話，心驚肉跳。我記住這句話時，十七、八歲，一輩子受用不盡。《地糧》中，紀德忽然說：「擔當人性中最大的可能，這是一個好公式，我來推薦給你。」五十年來，我的體會：人性中最大的可能，是藝術。宗教、哲學、科學，可能，而「不能」。藝術，總是看到「可能」，接下來是「能」，真的能。寫下來：

宗教、哲學、科學，可能而不能。

藝術，可能，能。

看看種種可能，想想自己的「可能」，就這樣過了春夏秋冬，一個閒不住的閒人。

原樣派還有讓·蒂博多（Jean Thibaudeau）、讓—比埃爾·法耶（Jean-Pierre Faye）等等，他們懷疑一切既有的文學形式和美學主張（這就是虛無主義。我同時也很羨慕他們真有幾個人，志趣相投，觀點相同，行動一致——我們講這個文學課，背後多少人在誹謗）。他們的文學觀點是什麼？四方面（我這樣歸納）：

一，文學不僅反映、剖析現實，更要深入生活本質，表現世界原來的面貌。
二，反傳統，要把詩和小說結合起來。
三，以文字代替文學，文學是封閉時代的產物，現在要稱為「文字課」。
四，把人物從文學中取消。

現代藝術一味否定傳統。沒出息。如果你是強者，為什麼要否定傳統？愈新，愈脆弱，總要反前面的東西，毀掉。真的強者，自己往前走。

已經存在的藝術，我認為已是地球的一部分，地球有什麼好反的？

法國有她輕薄浮華的一面，所以，巴黎不能成為文化中心。紐約呢，現在也沒落了。那麼，文化中心在哪裡——為什麼要有中心？沒有文化，哪裡來中心？

（休息）上樓看李斌肖像畫室。木心說：大家現在畫畫是為了吃飯，應該怎樣呢？應該是吃飯為了藝術。可是現在弄藝術全是為了吃飯。你不喜歡的人，要去畫他，畫得要他喜歡——我總算脫出了這個苦差事。

荒誕派的思想來源

講另一個項目：荒誕派。主要是戲劇：《等待果陀》。

一九五〇年五月十一日，巴黎「夢遊人劇院」上演伊歐涅斯柯（Eugène Ionesco，一九〇九—一九九四）的《禿頭女高音》（*La Cantatrice Chauve*）。怎麼回事呢？沒有故事情節，沒有戲劇衝突，沒有邏輯推理，沒有人物關係，只有兩對夫婦對白。觀者只有三個人，看得莫名其妙。

到一九五三年，貝克特（Samuel Beckett，一九〇六—一九八九）出《等待果陀》（*Waiting For Godot*），寫法和伊歐涅斯柯差不多，在塞納河左岸「巴比倫劇院」上演，轟動劇壇。之後，阿達莫夫（Arthur Adamov）、惹內，也打破傳統，寫出別具一格、驚世駭俗的劇本，轟動一時（所謂驚，驚的是媚俗的世，嚇的是愚蠢的俗）。對這種形形色色的事，可以不認同，但不能閉目塞聽。

荒誕派的思想來源，是存在主義者卡繆在四十年代說過的一段話：

一個能夠用理性作解釋的世界，不管有什麼欠缺、毛病，仍然是人們熟悉的世界。但在一個忽然失去光明和幻想的宇宙中，人感到自己是一個局外人，沒有家鄉，沒有回憶，像個無望回歸的流浪漢。這種處境，就形成了荒誕的感覺。

滿講出了一點道理。有知識的人，知道卡繆在講什麼。這段話，荒誕派戲劇家特別受到引誘。

你要解釋這個世界，要下苦功。要記住這些話，記不確，原意要記住。這道理，是物理學家、科學家發現的——許多物理學家下了結論，科學家找不到證據，研究不下去了，有人為此自殺。人類在科學上碰了壁，回不去了。

海德格他們，研究過科學，後來走到神學去。鄉愿。上帝沒有了，也想回去，我說這是鄉愿。

我們處於這樣的境地：科學可以解釋的世界，不存在；而新的世界，科學解釋不了。

這些事，我們今天可以暢談。我在散文中只能點點滴滴談，不建立體系，不掉進陷阱，不去上這個當。

這種常識，要具備。

荒誕派主要幾個作家，都很有修養才華。貝克特，給喬伊斯做過助手，是喬伊斯的同鄉，研究過笛卡兒哲學。我要說明：荒誕派作家，本身不荒誕的。對照中國那些作家，已經不得了了。

但我覺得荒誕派這些作家，矯揉做作。我在一首詩中說，現代的智者，都是自己要假裝自殺，要世界作陪葬。這些批評家、觀者，都是假裝要殉葬，作者呢，假裝要自殺——都沒有死。

這就構成現代藝術的景觀，他們在舞臺上把世界寫得一片黑暗，他們自己生活得很好——這裡有欺騙性。

宇宙無所謂荒謬。人在裡面，覺得荒謬。

科學家，以身殉道，是真正的絕望。文學家的絕望，是假絕望。有人諷刺過叔本華，說他寫悲觀哲學，自己活得很好。

不必去揭穿荒誕，只要把荒誕弄得好受一點。譬如，十字路口容易發生車

貝克特，荒誕派作家，劇作《等待果陀》上演，轟動劇壇。

禍，要設置紅綠燈。安全呢，還是不安全，但總比亂開車好——就是這個意思。

荒誕派的意思，就是紅綠燈是沒用的。可他們自己不走十字路。

世界本來是庸人製造的世界。新小說派，失落的一代，迷茫的一代，說穿了，是「智者的自憂」，誇大了世界的荒謬。世界上是健康的人多？還是病人多？在他們的作品裡，全是病房、病人。

西方，尤其法國人，至今迷信「新」。這是沒有強力可以扭轉的。

會看膩的。會煩的。

如果我沒有說中：藝術愈來愈荒謬。把鐵塔倒過來，把羅浮宮澆上汽油慢慢燒，那麼，我也贊成。我有俳句：

「世界末日從巴黎開始。」

我常常想起莫札特。他的意思，是人生嘛苦，藝術嘛甜。

他們呢，人生苦，藝術更苦。給你一杯苦水，要你喝，還問你苦不苦。你說苦，他高興。

自然是徒勞的，生命是虛空的，物質存在是騙局——凡政治、文化，都是騙局，因為都是人的意志製造的。都不要入這種騙局。

人，都要一個單位。那些西方的大人物，也總有個單位——段數高的，是騙子騙騙子。遇到兩個騙子，最容易上當，上了當，他們再分肥。兩隻老虎鬥，羊上去，先吃羊。

畫商、批評家、畫家，都是騙局。

這是一個騙子騙騙子的時代，嫖客嫖嫖客的時代。文藝女神早就飛走了。我是不是言過其實呢？沒有，實際上還要厲害。「文革」前我想去做和尚，廟已關了。我要不進政治的騙局，只能去宗教的騙局。美國好，沒人管你。

要一點清醒，要一點才能，要一點錢。有這些，過三十年、五十年，容易的。五十年以後呢，不是你的世界了，你別著急。

（休息）談到時裝，我以為就是上當的意思。青年人都上這個當，上得好苦。領導時裝的都是惡魔，不是天使。用最好的時裝顯示身材，還是時裝概念，不是人體概念。

所以要有點頭腦，有點才能，有點錢，可以不去上那些當，自己來穿。所謂過了時的時裝，是迂腐。當時就迂腐了——騙局永遠成功的，永遠老一套，因為上當的是新一代。

講了快五年了，講些什麼？講怎樣做人才有味道。外面傳：以為講文學可以對畫畫有好處，那不是騙人嗎？還能上四年？

文學是人學。人嘛，看看別人是怎樣做人的，怎樣做人最有味道。我不承認什麼文學家、畫家。我的內行，是吃喝玩樂。我的序就說我是個玩家。

你們都是苦行主義者，大半輩子浪費了。丹青的伙食，太《浮生六記》了。

垮掉的一代的社會現象

接著講「垮掉的一代」。

「文革」的時候，你們都知道，要寫交代。寫好寫不好，決定你的「性質」。寫到自己傷心的事，要發瘋的。我苦中作樂，用寫交代的紙作曲。

上次講過，一流的藝術家，叫他做件事，他做成藝術品。

是文學害了我，成了「反革命」，還是文學救了我，使我每天樂不可支。你們讀我的書，要分享我的快樂。同樣一架鋼琴，彈得好的人，快樂，彈得不好，不快樂。喝酒，喝了，還要說得出來——中國的酒，是戰略家的酒，西洋人的酒，脫不了兒女情長。

我懂得這酒，我快樂。懂得就是快樂，快樂就是占有，占有就是昇華。一個美女，嫁給醜八怪，那個醜八怪沒有占有美女。

我的課快要到終點站了。以上云云，都是告別的話。

「垮掉的一代」，發生在五十年代。二戰後出現這一代，名稱國際通用。在英國被稱為「憤怒的一代」，德國叫做「返回家園的一代」，日本叫「太陽族」——叫「垮掉的一代」，是在美國。

中國、蘇聯，都用唯物史觀、階級分析，批判「垮掉的一代」，所以在國內看到的資料是公式化的，歸結為西方的反動性引起小資產階級失業青年的抗議等等。

依我看，其實是大戰的後遺症，是人性崩潰的普遍現象。是外向的社會性的流氓行為、內向的自我性的流氓行為的併發症，既破壞社會，又殘害自己。

主要是文學青年。他們對既成的文明深惡痛絕，新的文明又沒有，廣義上的沒有家教，胡亂反抗。我和李夢熊當時談過這一代，其實不是「垮」，是「頹廢」，是十九世紀的頹廢的再頹廢——當時資訊有限，來美國才知道是怎麼回事，而且早過了。

是這樣：美國是發源地。一些青年組織「垮掉公社」、「垮掉村」。群居生活，上街遊行，焚燒原子彈模型，向民眾演講，朗誦詩，蔚然成風。他們群居，可是沒有綱領、目標，一盤散沙。他們要自由——吸毒、群交的自由，不洗澡、不穿衣（當眾脫褲子，詩人誦詩到一半，脫褲子），不講衛生。你講他，他就罵你衛道士。

舊金山是垮掉一代的發源地，後蔓延到紐約、丹佛……在法國，巴黎是他們的中心，群居在聖日耳曼區。紐約的一夥，就在格林威治村。據說喜歡穿舊軍服，黑色高領，聽爵士，吸毒，喝水不分杯，雜交。敵視一切神聖的事物。分冷型和熱型。冷型，留大鬍子，言簡意賅，坐在小酒吧，啤酒，喝一點點，旁邊一個女孩，黑衣裙，一聲不響。熱型，火一樣的，雙目炯炯，言語滔滔，從這家到那家酒吧，同各色人交往，脾氣暴躁。這種事，要知道（孔子說，交友交三種：友直、友諒、友多聞。又分益友、損友）。一九五五年，「六畫廊」詩朗誦會，正式形成垮掉的一代。之前有很長的醞釀期。垮掉分子，今天在曼哈頓下城還能看到。

好，我們不是在上文學課嗎？這一代是意識形態的代表，文學上也有他們的人。下次講他們的文學成就，今天講社會現象。因為今年年底決定講完，我開始做結束工作。留下的講題還很多，計有——

黑色幽默、魔幻現實主義、結構現實主義、九八年一代、二七年一代、黑山派、自白派、具體派、動物心理現實主義、恐怖現實主義、阿克梅派、迷惘的一代、憤怒的青年、微暗派、南方文學派、新批評派、結構主義、現代派電影、無邊的現實主義、新感覺派、無賴派、戰後派和後期戰後派、新興藝術派、荒原派、內向派、幻想戲作派、新新聞主義。

我決定選講「黑色幽默」、「魔幻現實主義」。如果還有時間，現代電影中的「新浪潮」、「先鋒派」和其他派，扼要講講，就到了講課終點了。

一生中，這是最後一次做教員，這四年的訓練，也許白費了：為我自己，是想訓練口才。第一次講完，氣也透不過來，現在七、八小時也能講——以後回大陸見人，可以當眾說話。但這個念頭現在打消了——藝術家應該在家裡。

契訶夫有篇小說：兩個朋友，一個什麼都有，就是沒錢，一個什麼都沒有，但有錢。後者要前者關在房間十年，可以給一筆錢。實行了，期滿，後者認輸，進屋一看，人沒了，留個條子：我什麼都得到了，什麼也不要了。

我不演講，也是這個意思。

電視上看到群眾聽演講，很厭惡。一時血氣上來：不要了。

結束講課時，辦一辦，不是功德圓滿，是善始善終的意思。

第79講

垮掉的一代再談

反道德規範　反市儈作風　反既成模式　凱魯亞克《在路上》

1993.10.24
（在殷梅家）

他們要取消藝術與藝術之間的界限——不是與傳統的界限。譬如，小說加上詩，電影加上詩，民間的種種也要加進去等等。

「垮掉的一代」他們暗中說，或者明講：他們的祖師爺是惠特曼。但惠特曼是清醒的，他們不清醒。在生活、藝術上，他們是雙重的短命。世界上的事物，常常是一個東西，但有正邪兩種可能。惠特曼是正的，「垮掉的一代」是邪的。

年輕時去杭州，看到監獄，心想和我有什關係。結果長大了，一進二進三進，誰想得到？我有句：「生命的悲哀是衰老、死亡，在這之前，誰也別看不起誰。」

垮掉的一代的創作傾向

（課前閒談）聽金高講起王濟達最近回中國，到達的日子，才想起正是當年離開中國的同一天——世界上誰最忙？命運之神最忙，要安排那麼多人的命運，像電腦一樣。

上次講的內容，是把「垮掉的一代」作為戰後青年思潮、社會現象來對待。今天講垮掉一代的藝術作品。創作傾向：反對美國資產階級道德規範，反對商業社會的市儈作風，反對既成的個性模式（另外，反美國政府對外發動戰爭，對內麥卡錫主義）。

按理說，這三項反得很對、很好。

取材下層人民生活，描寫他們悲慘的一面，強調反抗精神，也表現被扭曲的心靈。同時，他們主張要思考，要回想，要去摸、嘗、用、調查、試驗每一樣東西。描寫的對象，都是他們熟悉的。

局部、細節看，很有說服力。看來他們是介於現代主義和批判現實主義之間。

一個東西，不能看他們說些什麼，要看他們做得怎樣。不要搞錯，以為他們是浪漫主義。一句話，他們追求的不是理想，而是追求生物學上的人的解放——我喜歡吸毒，我吸毒；我喜歡濫交，就濫交。

他們要取消藝術與藝術之間的界限——不是與傳統的界限。譬如，小說加上詩，電影加上詩，民間的種種也要加進去等等。

年輕人的不管天高地厚。血氣之勇。不管天高地厚。

作為社會思潮看看，倒也罷了，就看出不出代表作家。據說有一千多種詩派?!像「文革」中的造反派、戰鬥隊，多不勝數。

談談他們藝術上的手法，或者叫作風吧。扼要說，採取「自白式」，可稱為即興、隨意。他們自己把這一套說得很玄，我看他們用的是原始的野蠻的一氣呵成的寫法。這個東西，是要有一股氣、一股力，才能一氣貫成，不顧文法錯誤、思想混亂，但求石破天驚。

不容易的。亂七八糟的思想，亂七八糟的感情，要靠一股衝動，吐出來。有沒有來源呢，你們看看惠特曼就是。惠特曼開了一個頭（韓波開了個頭，法國詩壇大變）。

他們暗中說，或者明講：他們的祖師爺是惠特曼。

但惠特曼是清醒的，他們不清醒。在生活、藝術上，他們是雙重的短命。世界上的事物，常常是一個東西，但有正邪兩種可能。曹雪芹說過這意思。

惠特曼是正的，「垮掉的一代」是邪的。

反道德規範、反市儈作風、反既成模式，都對的。可是他們成為這個社會文明中腐爛的一夥。

我有一個新的論點：

現代藝術中，好多好多是含有尼采的酒神精神的，但嚴重異化了酒神精神。你看滾石樂隊，黑人跳舞、扭動，歌星瘋狂表演等等，我都很喜歡。你懂的話，邊看邊知道哪些是酒神精神，哪些是酒瓶精神、酒鬼精神。

你看麥可．傑克森跳起來，有些動作非常酒神精神，可是弄弄又去摸下身，下流起來。

尼采來看，我會問他：「這個是不是有點酒神精神？」

他會點點頭。

我又說：「但不是你的酒神精神的那個意思吧？」

他也會點點頭。

說明什麼呢？說明人類不配有酒神精神。人類就是酒鬼，不配、不能——你看到這點，你又看到現代藝術中有酒神精神，那麼，你有可能做出劃時代的作品。

其中有個人，有出息的。哥大（哥倫比亞大學）讀到一半逃出來，全國打工旅行。到四十七歲，寫了十來部小說，最後回到現實主義。

看來，現實主義是現代主義的最後出路。

*

（休息）最近大概老了，特別怕藝術，什麼也不想碰。天天最好是抹抹桌子，收拾收拾。臺灣那邊稿約到了，坐下來，可是寫些什麼呢？什麼都不想寫——這個心態也要寫下來。

藝術家逃藝術，是世界性的。達文西最要逃；《蒙娜麗莎》畫了四年，其實逃了四年。

哪裡要畫四年？逃呀。

北京話，使北京人日子好過而不好過。上海話，使上海人永遠不能博大精深。北京話是頭頭是道，可是憑這種話，日子就能過得好嗎？上海人，是語言快過思想。

有天夜裡有人狂敲門，一開，四個警察，兩部警車。問我：「是你報警嗎？」我說：「No.」他們立刻說：「晚安。」走了。

一走，我立刻覺得紐約真爽氣！在中國，有得煩了。

再想下去，可以寫小說：裡邊在謀殺，警察敲門，開門，說No，警察走，裡面繼續在謀殺。

凱魯亞克——垮掉一代之王

關於垮掉的一代，再講細緻一點，實在一點。

政治上、軍事上，可以有所謂「不以成敗論英雄」——歷史上有的是悲劇的英雄：凱撒、項羽、拿破崙、諸葛亮、文天祥、李廣，都以失敗告終——甚至商業上也可「不以成敗論英雄」，而文學上藝術上，必以成敗論英雄。

要明白藝術與藝術家的關係，是如此嚴峻、殘酷。我喜歡這嚴峻、殘酷——因為公平。

什麼樣的人，什麼樣的藝術，什麼樣的藝術，出自什麼樣的人。李林甫、秦檜，都懂藝術，李林甫的詩、書、文，都極好，可是到底沒有價值的。

成名、成功，兩回事。

垮掉的一代，我喜歡一個，就是剛才提到的傑克·凱魯亞克（Jack Kerouac），一九二二年生在麻省，一九六九年死。十八部小說，還有詩，創作力嚇人。逃離藝術，逃到後來還是坐下來寫。到初稿完成，開心了，燒點好菜慰勞自己，然後慢慢改，其樂無窮。初稿寫成，像小鳥捉在手裡，慢慢捋順毛。小鳥胸脯是熱的，像煙斗。他的天性很有趣，十八歲入哥大，好動，不久離開紐約，開始流浪，比高爾基還強健。他步行、搭便車（邊說邊學搭車的手勢）。美國這點真有意思，真好。一路打工，身邊一個錢不帶，打短工，打到墨西哥。這樣流浪，還覺得太平凡，到二戰開始，就幹各種雜工，直到一九五〇年。

這很好。大智若愚——這是大智若盜。我喜歡這類性格。如果我現在十八、九歲，強壯有力，該多好。書要讀的，文學書根本不用人教。文章呢？自己改改好了。然後去做各種的工，走各種的國，混到四十歲，積了錢，隱居寫作。

大學、美術院、研究院，向來反感，坐在那裡什麼也寫不出來。我有俳句：「藝術學院裡坐著精工細作的大老粗。」

家禽出在大學，虎豹出在山野。

這種流浪、機會，在中國完全不行。他生在美國，占了便宜。第一部小說《城與鎮》（*The Town and the City*），一九五〇年出，沒有反響。一九五七年，出第二部長篇《在路上》（*On the Road*），震動美國，波及西方各國，公認是垮掉一代之王。之前，垮掉一代只有詩；之後，文學、電影，紛紛跟上。

小說一定要有生活體驗。我小時候寫作，環境、天氣，都寫好了，咖啡也泡好了，主角開口了——完了，不知道寫什麼對話呀。

文學家應該生龍活虎！

第三部《地下室的居民》（*The Subterraneans*），一九五八年出，講他在舊金山的一批朋友，寫時一氣呵成，確實較前面講得渾然天成，把他自己也寫進去，拿自己做廣告。

代表作還是《在路上》，大陸有譯本，二十多萬字。一九五〇年是他的準備期，一九五八年是高峰期。

附帶講，通常都有這規律：畫家、藝術家，都有準備期，準備期愈長，高峰期愈高。準備期有兩種：一是不動手，光是「生活」；一是動手，動手的準備期。

我屬於後者。我十四歲開始正式寫作，弄個筆記本，什麼都寫，不停地寫——一寫寫到五十多歲，都算準備期。「文革」抄家抄走的，幸虧都是我準備期的。

高爾基、傑克·倫敦，是前一類。他們會感受，我重形上。他們雲遊四海，我固守在家。他們是唐吉訶德，我是哈姆雷特。其實哈姆雷特要是再活一次，也會逃出丹麥，世界各國打工遊歷，大大地生活一番。

打工，其實是為了接觸人，看人。洗五十年盤子，不識人，什麼也沒用，只識盤子——這叫做知人之明，知己之明。

知人、知己，缺一不可。

我在工藝美術系統，閱人多矣，都是上海地區來自五湖四海的人。可是小時候關在家裡，天天禱告——不知向上帝還是釋迦——放我出去吧，流浪、打工、打仗，都可以。冰心到過美國，高爾基嘛到處流浪，魯迅去過日本，可是我在家裡……一路經歷到「文革」，我對上帝說：

夠了！

年輕時去杭州，看到監獄，心想和我有什麼關係。結果長大了，一進二進三進，誰想得到？我有句：「生命的悲哀是衰老、死亡，在這之前，誰也別看不起誰。」

就是這意思，誰都不知道會有什麼經歷。

（休息）我對世界的處理，是射人先射馬，擒賊先擒王。

這種作家只有美國會出產。我剛飛臨美國舊金山，看下去——這個國家好年輕！後來在曼哈頓俯瞰大樓群，那麼陽剛；像小夥子，粗魯、無知，但是陽剛。這裡的狗、鴿子、松鼠，都容光煥發。

歐洲適宜懷舊，消閒，享樂，沉思，頹廢。住要住在美國。美國之美，在野不在朝，在整體不在細節，在利用不在鍾情。

再舉例，聽說有個華僑回上海，飛機上喝了一杯啤酒，覺得有股蘇州河味道。此人神經過敏一點，細想，也對的，是這樣。去年朋友帶中國食品給我吃，好吃，對的，大解鄉愁。可是後來再吃美國食品，雖然洋味、不稱心，但有它的好處：乾淨。這是生活水準，不是生活作風——麵粉、糖、水、蛋、酒、飲料，都乾淨。

再回到垮掉的一代。

我們想，如果二戰後凱魯亞克做生意，可能倒也發了。如果他沒有品質、才華，沒有經歷，他就是一介平民。他選擇了精神上的發財。精神發財，可以構成快樂，是真正屬於你的。物質財富，不快樂，還添煩惱，而且說不定哪天是不屬於你的。

是呀，塞尚畫的畫，到頭來忽然說不是他的。

他從大戰後，以他的生命力積蓄大量精神財富，這是他的資本，創作小說發了精神的大財，一九五八年到一九六〇年——這裡，美國精神又來了——他利用名氣轉化為財富：一九六〇年一年內發表五部作品。不是瞎寫的，確實是作品。這是美國人的脾氣，不留後勁，不留後路。

從旁看，我也覺得有趣，動人。田納西．威廉斯（Tennessee Williams，一九一一—一九八三），還有這位。我都當他們鄰家男孩。喜歡他們，但不相干。

中國人是好戲在後頭。姜太公到八十歲才走上政治舞臺，西方哪有這事？中國向來是玩壓軸戲，這些，可以補美國的不足。

諸位要有後勁。後勁就是後路。

怎麼說呢？就是孟子的話：「我善養吾浩然之氣。」這股氣要用在藝術上，不可敗泄在生活上、人際關係上——不要在乎蒼蠅、跳蚤、蟑螂，不必義憤填膺。一天到晚談蒼蠅、跳蚤、蟑螂，談多了，會像卡夫卡的〈變形記〉那樣，自己也變成蒼蠅——這就是我所謂的「初步成功」。肥雞在烤箱裡轉呀轉，油光光的，天鵝和老鷹在雲天飛呀飛。

人留在紐約，思想、藝術、品性，還是要保持中國智慧。美國人不懂得昇華這個詞。這本來是物理的事，一個東西到了一定的溫度、狀態、數量——變了。固體變液體，水分變氣體等等。

田納西他們，本來可以昇華的。他們想不到，最多是想到反撲。凱魯亞克，據說還講禪宗。他比別人強，晚年回到現實主義，回到馬克吐溫的傳統，但力不從心了，晚年很苦悶。一九六八年還出版書，下一年死了。死後發表遺作《皮克》（*Pik*），一本滿好的書，回到現實主義大傳統。

這是個很有深意的大命題：現代主義再新，再發狂，他們都有一個老單位——現實主義。

我的意思，是和自然相通。自然不懂藝術的，也沒有什麼主義流派。我不崇拜自然，不佩服，不反對，只是和自然有共性。共性在哪裡？有機性。

宇宙是無機性的。今天早上想到，我們說的大自然，其實是小自然。花木草蟲，不是宇宙性的，是地球性的。

我喜歡和自然相處，把它當做一個舞臺，一起演戲。達文西、歌德，對自然的崇拜真可笑。

凱魯亞克是我所喜愛的一個作家。他不做家禽，要做野鳥、野獸。他寫成十八本小說，有種。晚年回到現實主義，有心腸，有頭腦。

*

下課。出大樓（是次講課在曼哈頓西七十二街殷梅家客廳）。木心說樓裡氣悶，走走，再下地鐵。大家陪著木心走到七十二街連接中央公園入口處。漸走入，公園遊人如織。秋晴，夕陽。眾人心情大好。木心抽菸。

公園四處有溜旱冰的青年人。過來一輛公園出租的供三人前後騎坐的自行車，三女孩在車上一個挨一個同時腳踩踏板，幸福地騎過去。李全武立即問木心：這怎麼說法？

木心應聲：「在天願做比翼鳥，在地願結連理枝。」

一位俊美的黑人青年跑步經過，筋肉強健。大家止步歎賞，全武又問木心如何說法？

「暴徒的一身肌肉是無辜的。」

隨即說起古語：「世人皆曰可殺，我獨憐其才。」木心笑：「世人皆曰殺，我獨憐其肉。」

繼續走，景色漸佳。

木心：「我們是太『脫離生活』了。這樣是對的：有點自然，有點人，人在自然裡，自然裡有人——人是葷的，自然是素的，滿好。」

有婦人牽一對肥哈巴狗走來，全武又討木心說話。

「四六駢體文。」

漸進中央公園中心的音樂廣場。我指樹叢中的貝多芬銅像。

木心舉頭望：「哦，貝多芬在這裡。人來人往，誰都忘了他。」

我們中有人說：「貝多芬應該是請來的移民。」

木心：「貝多芬銅像上的銅綠不等於是綠卡的綠。」

音樂廣場上許多快樂溜冰的青年人。

木心：「這一個下午，他們徹底無政府主義。」停下來，讚美，羨慕地看了一會兒：「還是淒涼的。他們回了家，也就是洗洗澡，吃飯，睡覺。」

不遠處有一搖滾樂隊在演奏，吵鬧。

全武說：「硬要貝多芬聽這個，幸虧他聾了。」

木心：「要這樣說：貝多芬聾了，他早有準備。」

廣場外以一位肥胖的中年人赤膊倚著自行車，看青年溜冰。全武又討話了。

木心：「剩餘價值。」

跑道上一位胖老頭喘著氣跑過。

木心：「咕咾肉。」

走入最長的一段林蔭道。落葉繽紛，部分已被遊人踩成木屑狀。木心批評道旁雕像，但在莎士比亞像前略停留，說還可以。近五十七街公園出口，遠望第五大道，華燈初上。

木心：「我當年望著這些燈火，心想：我總算出來了。」

公園口豎起南美雕刻家的變形男女裸像。巨大。我們都批評。

木心：「俏皮話，說得皮而不俏，就是這樣子。」

大家一起下了地鐵。車廂中四望疲憊下班的乘客。

木心：「和公園裡的人比，這裡是另一群人。」

金高提議，以後每下課都應該出來散步，大家今天很快樂，因為久未來公園散步，又因為事先並未預備散步。

木心：「紀德說，不要安排快樂。紀德到底比後來那些阿拉貢之流好多了。」

十年前，一九八三年，木心寫〈明天不散步了〉。我提醒。

木心笑說：「今天是散步的擴大化。」

到皇后區七十四街地鐵中轉站。我們送木心到公車Q33號站。他要我們都回去，別送他。

第80講

垮掉的一代續談

艾倫·金斯堡　威廉·巴勒斯　加里·斯奈德

1993.11.7

現在還能看到垮掉一代的「遺腹子」，背著包到處旅行。要說他們是革命、探索，談不上。想顛覆，想破壞，可貴的是反對中產階級社會價值觀。但是吸毒、亂交，是用惡來反對另外一種惡。我看是含不了多少惡意的愚蠢。到頭來是吸毒，墮落，潦倒街頭。

只有思想、藝術，能讓一個人獲得巨大的力量。我參加遊行後回到寓所，看到紙筆，我想，老朋友，我是愛你的。憑文學、思想、哲學，我可以有發言權、存在權，發怒、發笑、發種種脾氣的權。

「垮掉的一代」自稱是「宗教的一代」，他們對佛教和老莊哲學佩服得七竅生煙，其實是好奇，哪裡懂得佛和老莊？

把凱魯亞克講完。他的成名小說《在路上》，有中譯本。寫幾個垮掉分子橫越美國的幾次長途旅行。作者親自經歷過來，寫得很真實。這是他勝人之處：尋求生活的真實。

凱魯亞克寫的不僅是個人經歷，也是他們同夥、同代人的經歷。他們都吸毒，癮大到每天要按時注射，吃飯也把毒品當菜。他們的身體，也真是好到毒不死。（我的經驗，親戚有人戒鴉片後，身體特別好，長壽。你看有些瘋子，別的病都不生，風裡雨裡淋，不感冒，身體健康，永遠健康。）

寫性交，亂交。

人道主義、傷感、憂鬱、議論、詩，交叉在一起寫，很動人。背景的背景，是個深沉的悲觀主義哲學。

以後我也要這樣寫。

美國青年人看了，當然很感動。（任何一個好方法，都是個陷阱。弄得不好，馬上亂七八糟。昆德拉在小說裡發議論，有時就弄得很不好。藝術的路是走在剃刀邊緣，弄不好出血。稍微一個字弄錯，俗了，弄對，雅了。我們天天在剃刀邊緣走來走去。）

現在，在街上，還能看到垮掉一代的「遺腹子」，背著包，到處旅行。他們在自由的環境中，濫用自由。要說他們是革命、探索，談不上。想顛覆，想破壞，可貴的是反對中產階級社會價值觀。但是吸毒、亂交，是用惡來反對另外一種惡。我看是含不了多少惡意的愚蠢。到頭來是吸毒，墮落，潦倒街頭。

在中國時我對他們好奇，想瞭解他們。後來住在哥大一帶，見到了。給我吸大麻，我沒感覺，開Party，不開燈，一屋子人，人啊，狗啊，在一起。也不做飯，室內亂得一塌糊塗——他們想垮掉傳統社會，自己先垮掉。

老資格的垮掉一代，正好和我年齡一樣大。

歌德說，少年維特不是一時現象，是每個時代的現象。他沒有看到另一個現象：蘇聯、中國，幾十年內，硬是把少年維特壓了下去，沒有人敢煩惱。

這裡的青年，被催眠，制服，喪失自我。西方，無論如何有自我——假如兩種青年加起來，以非常好的思想方法教育，世界是有希望的。

另一面看，所謂人，青年，是很賤的；只有在極權壓迫中，乖乖制服，可是一自由，你看看現在，男盜女娼，什麼都來了。

人既是可教的，又是賤的。

先是高壓，壓服，然後慢慢慢慢放鬆，露出好意來。向來是殘暴的人得勢，可要是殘暴的目的是仁愛，就好了。要挽救，是建立強有力的法治，但一建立，怕又被人利用。

自由、平等、博愛，是被誤解的。一輛車，有馬達、車體、輪子，可是平等一來，人人都想做輪子，那怎麼行？

中國大陸走後門，塞紅包，非常可怕。後門都能通，前門就關了。紅包一塞，不通的通了，能通的反而不通了，這多可怕。開刀，都鋪了路，給了紅包，可是管麻藥的那個人忘了給紅包，一上手術臺，痛死。

（休息）最近有俳句：「故鄉最無情。」

中國法治，建立不起來。回想一九四九年以來，總體上講，當初紀律是嚴明的，老百姓還信得過，還像樣。可是，現在和過去比，還過甚。性質上講，是自敗，腐爛，作為社會風氣，更嚴重。新的政黨上臺，用的就是這些人。

「局長啊，別人都是吃馬屁，只有你不吃馬屁！」

「對，你說得對！」局長也吃進馬屁了。

當時部隊進城，表面廉潔，裡頭的花樣後來慢慢才知道。我當年參軍時那個政治指導員，軍裝那麼舊，洗得那麼乾淨，綁腿緊，紅光滿面，有點白髮。演講好精彩，合情合理。我同他談貝多芬、羅曼·羅蘭，他說：你知道嗎，羅曼·羅蘭最喜歡聽中國的孟姜女。我當場傻掉。

很快暴露：他把一個女兵槍殺，說是特務。可是那女的不死，活過來，說她已懷孕——是他。

說這些的用意：西方垮掉的一代，可悲。我們不能垮。一代稱不上，但可以是垮不掉的個體。我們的優勢，是可以享受四大自由。回去，就掉入紅包的天羅地網。

在這兒，不論各位是為了吃飯藝術，還是為了藝術吃飯，但有飯吃，可以談藝術。

金斯堡——「垮掉公社」創始人

講艾倫·金斯堡（Allen Ginsberg，一九二六—一九九七），垮掉一代的領袖人物，一九五五年舊金山「垮掉公社」創始人。他是詩人，出生於新澤西猶太人家庭，母親從蘇俄來，後加入美共，父親是英語教師，也是一位詩人。

由此想到，血統愈遠愈好。這不是個生理問題，我關心的是個哲學問題：為什麼近親血統不好？法國貴族近親通婚，後來衰亡了；佛教，在印度不行，到中國興旺了；基督教，到歐洲光大。魯迅、茅盾、徐悲鴻都知道從小鄉鎮游到大都市去。

金斯堡一九四八年哥大畢業，之後做過搬運工、演員，五十年代中期在舊金山，沒沒無聞，屬於「熱型」的垮掉分子。當時舊金山垮掉分子都出現在無名破舊的酒吧，反對現實，朗誦詩，或在空地，站木箱上演講，聽眾都是垮掉分子。

這情形，每個時代都有。少年都有少年的煩惱。只要：一政府不干涉，二有領導人物，這種事就能幹得起來。中國的「五四」、「一二·九」、

「四五」……都是少年的煩惱。

只有思想、藝術，能讓一個人獲得巨大的力量。我參加遊行後回到寓所，看到紙筆，我想，老朋友，我是愛你的。憑文學、思想、哲學，我可以有發言權、存在權，發怒、發笑、發種種脾氣的權。

也因此，那次遊行是有意義的，不傻，很有美感。若干年後，大家各有成就，來看看當時的照片。想想。

回到金斯堡。他有一首詩〈亞美利加〉：

亞美利加，我把一切都給了你，我一無所有
亞美利加，我在一九五六年一月十七日，身上僅有兩塊兩毛七分
我受不了我自己的腦袋
亞美利加，咱們什麼時候結束人類的戰爭
去拿你的原子彈嚇唬你自己吧
我可感到不舒服，別來打攪我

當時讀者很幼稚呀，連這種詩也寫不出來。比起惠特曼，差遠了。據說他朗誦起來，非常好聽。美國年輕人聽了，說這是新鮮空氣。我看是罐頭新鮮空氣。

他的代表作《嚎叫》（*Howl*），在舊金山朗誦，一片叫好，詩集一出，不脛而走，西方評論說，艾略特〈荒原〉後，就是《嚎叫》。詳細講《嚎叫》，說來話長，我不想「嚎叫」。我認為，他把青年人的惡性敗德歸罪於美國政府，而且以更惡的惡行、更敗的敗德，來對抗。這是一種痞子心態（流氓是有組織的，痞子是流散的）。坐而思，起而行，他們是不思、不行，賴在地上不動。要反政府，可以組黨、參政，可他們根本受不了，真的鬧革命，他們哪裡受得了？他們指控資本主義，是虛偽的，只是為自己的墮落尋找藉口。

詩，是高貴。中國的酒、茶，很近於詩的本質。好酒、好茶，都有特質、品性，好酒不能摻一點點水，好茶不能有一點點油漬。這品性，就是上帝的意思。

詩人，一點點惡敗，就完了，俗了，一句好詩也寫不出來。我有俳句：

「繆斯，是不管現代詩的。」

可喜的是，詩真是有神的。一俗，詩神就什麼也不給你。

詩神脾氣極壞，極大。

巴勒斯——麻醉革命

威廉·巴勒斯（William S. Burroughs，一九一四——一九九七），他是另一種典型。生於密蘇里名門世家，十八歲進哈佛，攻文學和人類學。二次大戰，報名參加海軍被拒，退學，吸毒。世家子弟，身心浪蕩，漫遊各大州大市，再到歐洲、非洲、拉美。他也喜歡幹活，做過農民、侍者、偵探，見多識廣。第一部長篇小說《嗜毒者》（*Junkie: Confessions of an Unredeemed Drug Addict*），副標題「一個不可救藥的癮君子的自白」（我也要用副標題，可以一軟一硬，一硬一軟），拿自己做模特，寫自己吸毒的經驗。

巴勒斯、金斯堡他們有個共同的寫作方法，叫「個人新聞體」。廣泛採用、展覽自己私生活，有暴露狂。

這「體」，用得好，非常好，過去作家用，是假借人家，隔一層用的，曹雪芹，是假借賈寶玉。現在呢，是自己暴露（現代藝術家中亦有此傾向）。

秘訣：凡是別人用壞的方法，你可以用好。我都是用這方法，我常看壞書、壞作品。

他們吸毒，有個講法：恨這社會，恨這世界，吸毒是逃避。說起來很好聽，可是逃避的方法多啦。吸毒是個生理上的感覺，一上癮，像個魔鬼。

我很喜歡聽搖滾樂，有些寫得非常好——這種悲愴，是現代的悲愴，古代人不懂的。

巴勒斯吸毒，連海洛因也不過癮，到巴西、秘魯去找藥性更兇的，後來到非洲丹吉爾用嗎啡。一九五七年開始進醫院戒毒。他的書，還是讚美吸毒，稱「麻醉革命」，說吸毒是為了還原真正的人的本質。

對這種論點，最簡單的辦法是：由他去吧。他要革命，好，他要還原，好——後來就沒有了。

不過巴勒斯是有靈性的。他想繼承T．S．艾略特、喬伊斯，結果把他們異化了。許多人，天生非常聰明，可是天生的聰明不用，便要自作聰明。

而且這些人都長得很像，不胖不瘦，不長不短，伶牙俐齒，凡事一聽即解——容易上當。

斯奈德——沒有垮掉的垮掉一代

講一個不太一樣的。加里·斯奈德（Gary Snyder，一九三〇—），生於舊金山，學過東方語言學、人類學等。曾到京都寺院修行，還做過各種工人，守林員、伐木工等——西方文學團體有個特點：每個團派裡，各有個性，這很有深意。中國團派裡，沒有個性，只有一窩蜂，團派成員的臉張張不同，可是文章千篇一律。

這是人格健全與否的問題。

西方人是本色，自然。毫無個性，是中國人的大病。我們的國民性和魯迅那時比，至少壞十倍，如果諷刺當代，要十來個魯迅。

我有俳句：「移民，是翻了臉的愛國主義。」

我們都是翻了臉的愛國者。我們才愛國呢！到現在，我還常有傷時憂國之痛，可是比魯迅沉悶：他還能諷刺。

垮掉一代是吃飽了叫餓，睡足了失眠。現在的蘇聯、東歐、中國，完全模仿西方那一套。過去幾十年苦白吃了。要拿出新的辦法。

元氣沒有了。砸王府井吉祥戲院等等，是新的洪水猛獸。

明年回大陸，今年想大陸。現在是政令一元化被商品一元化交替。想用政令一元化來控制商品一元化，這是美夢。將來，就算商品一元化取代了政治一元化，還是沒有文化藝術的份。

美國，總統是管家，老闆是資本家；總統是傭人，資本家是主人。古代，是宗教極權、君主極權。資本家，不要誤解成一個人，是資本在決定種種。

斯奈德的個人風格，倒也新鮮：讚美自然、愛情、藝術、勞動。他在大學中接觸到中國、日本的詩歌，以中國詩歌做借鑒。他說，詩像石頭，可以疊起來，把思想疊在裡面，形成一個防波堤——滿有感覺。

垮掉一代，只有斯奈德沒有垮掉，是東方神秘主義救了他。這很重要：東方人真該有點西方的東西，西方人真該有點東方的東西。可以救人的。

早晨起來，洗個澡，喝杯咖啡，多好。

我們來到美國，聽到嬉皮，這現象已過去了，名字還有。到底什麼是嬉皮？和垮掉一代什麼關係？

嬉皮，從英文Hippie來（或者Hippy），就是「垮掉一代」的青年，自稱為「鄙德派」（Beats）。喜歡趕時髦。四十年代愛趕時髦的美國青年對法國存在主義羨慕死了，後來就自稱美國存在主義。蘇聯人造衛星Sputnik上天，他們又自稱Beatnik。

學年輕人，花樣總是多。學法國、學俄國。嬉皮不是指文學流派（文學流派，即「垮掉的一代」），而是指一群人。他們還有黨，黨名「VSP」，吸大麻，壽命不長，還有一個禪真派（ZEN），另有一路叫做「禪真嬉皮斯特」（Zen Hipster）。

常識：佛到中國和老莊結合，才大行其道，佛道兩家當時通婚，不分的。「垮掉的一代」自稱是「宗教的一代」，他們對佛教和老莊哲學佩服得七竅生煙，其實是好奇，哪裡懂得佛和老莊？凱魯亞克常在家裡穿件中國長袍，坐在床上參禪——真叫野狐禪——同時，借借神秘色彩，吸引群眾。

五十年代舊金山有家中國飯館，嬉皮都愛去吃飯，因為其中有一火鍋叫做「禪真火鍋」。

最後一句話，諸位懂了這麼多，要有所作為。

第81講

黑色幽默

布勒東　海勒《第二十二條軍規》馮內果《第五號屠宰場》

1993.11.21

這批人對現實失望、絕望，對未來幻滅、恐懼，他們認為人的自由、尊嚴、價值，都失去了。他們以沉重的心情把現實的惡誇大，寫出來。

愛情，是性為基點，化出種種非性的幻想和神話——歸結還是性。都說性徵是性器，其實第一性器是臉。真不好意思，人類每天頂著性徵走來走去。
毛髮、皮膚等等，都是性徵。可見造物主用意之淫。

黑色幽默，面對的東西很有限。但他們要針對的是人類、人性、人文的生死存亡問題。可是他們插科打諢，像個原告在法庭上手舞足蹈，又跳又笑，弄得被告也嘻皮笑臉——法庭最後就說：算了吧。

「黑色幽默」的來源、特點

今天講「黑色幽默」（Black Humer）。在大陸時聽到過，不求甚解。作為文學史，還得求甚解。嚴格講，是流派，不是學派。在美國作用很大，現在還有餘波，許多人還在用。起於六十年代，很快成為世界性流派。

流派的名，許多都是偶然提出來的，如印象派等等。最早提出了黑色幽默的，是法國的未來主義者布勒東（Andre Breton，一八九六——一九六六），後來，美國文壇就出現黑色幽默的作品。弗里德曼（Bruce Jay Friedman）說，這些作品都有個特徵，即黑色幽默。

不是作家自己提出的，是別人這麼說，他們就認了。

這批人對現實失望、絕望，對未來幻滅、恐懼，他們認為人的自由、尊嚴、價值，都失去了。他們以沉重的心情把現實的惡誇大，寫出來。以黑色的心態，用文字幽默，是悲憤痛苦的幽默。

魯迅的幽默有類似傾向，但魯迅不能稱為絕望者。他有紅的成分，黑多紅少，魯迅是紫色幽默。

有一幅漫畫，一個人口吐濃酒，流下眼淚，酒代表黑色，淚代表幽默。

代表作：海勒的《第二十二條軍規》、馮內果的《第五號屠宰場》。藝術特徵：傳統文學的幽默，我們熟悉的。譬如狄更斯、馬克吐溫，有幽默成分，不斷出現俏皮有趣的話，作用是輕鬆、解頤（頤，人的臉頰，本來不動，一動，「解頤」，笑了）。我們都有常識，西方藝術分悲劇、喜劇，很明顯，也可說是很嚴格的分界。黑色幽默是喜劇？悲劇？它把悲喜劇的分界混亂了，打破了。

這是一著險棋，弄得不好，油滑。

我所看過的一本海勒的作品，就是惡形惡狀的油滑，不舒服。黑色幽默有它的成就，我的不滿足、不滿意，是流於油滑。其次，他們專寫病態畸形的人物，前面說到的兩部小說的主角，一個瘋瘋癲癲，一個膽小如鼠。

我也有我的「軍規」——寫人性；寫一般的正常的人，把他人性的深度開掘，不找什麼典型，就寫那些毫無典型性的小人物，一個是一個，不混淆。我寫過一百個短篇的小說集《凡侖街十五號》，燒毀了，但至少我練習過，寫二、三百個普通人。

寫瘋子、變態者，不寫好漢。都誤解了，以為正常人的心理深度已經發掘完了，以為古典完了，都不耐煩。

完了？沒有完。

人變怪了，是人性，一上來就怪，不稀奇。我來寫，會死守一個人的平凡。他怪了，我不會開心，我覺得他還是平凡。一個年輕時代老跟我談尼采的老朋友，晚年對我說：我嘛，也算文藝十七級幹部呀！

尼采成了文藝十七級幹部?!怪嗎？因為他平凡。

西方人生活也很平凡。相對來說，中國人的心理，許多胡同、許多弄堂，中國作家還沒去走呢。

寫長篇小說，要守住——寫普通人，寫小人物。戰略上講，寫小人物比寫怪人高一籌。他們找到怪人來寫，以為找到出路。他們寫畸零人、怪人，我寫正常人、普通人。英雄、美人、愛情，我不寫。

大家忘掉了，不要了，我來撿，什麼都能撿到。

總之，他們打破古典悲劇、喜劇界限，專寫反常病態的人物。還有特徵嗎？有，專寫顛顛倒倒、不可思議的故事情節：活人同死人住在一起、和飛碟飛到太空等等，還有人拼貼報紙，取消情節。

特點：諷刺美國社會。不過，諷刺得很低級。

這樣一講，把黑色幽默講得股市大跌，現在回升一下，一句話：存在主義那裡來的。

最早是齊克果，他是以希臘哲學和基督教的啟示，形成他的存在主義思想，可稱為基督教的有神論的存在主義。沙特，是無神論的存在主義。因此想到，存在主義近世的影響之大，有鑑於此。

我對存在主義談不上愛，沒有緣分。上來就不很瞧得起。我敬重康德，悶頭悶腦思想。沙特他們，想到一點，就哇哇叫。哇哇叫的思想家，我受不了。

尼采、叔本華、佛洛伊德，也影響黑色幽默。近代，弄來弄去脫不開這幾個思想家——思想家在那裡想，影響整個世界。

都說荷馬，卻沒幾個人讀過《奧德賽》。寫性心理，也不一定讀過佛洛伊德。

海勒、《二十二條軍規》

約瑟夫・海勒（Joseph Heller，一九二三－一九九九），生於紐約布魯克林區猶太家庭。一九四一年珍珠港事件後，在美國空軍任中尉，實際上是個轟炸手。大戰後，進紐約大學。一九四九年，在哥倫比亞大學得碩士學位，又到牛津修英國文學。一九五〇年，在《時代》和《展望》雜誌工作。小說《第二十二條軍規》（*Catch-22*），描寫二戰時期駐紮在地中海小島上美國空軍中隊的故事，人物很多。主角尤索林（Yossarian）在基地目擊種種醜惡現象，為了撈錢可以出賣祖國、殺害同伴。政府宣傳都是謊言。尤索林膽小，不敢反抗，怕死，被人稱膽小鬼。軍規規定，瘋子可以不執行飛行任務。尤索林自稱是瘋子，不想空戰。軍規要他寫報告，寫出報告，即表示並不瘋。有規定二十五次飛行後，可以回國（中國從前有「六法全書」，我翻過，似乎這條可以駁倒那條），尤索林於是鑽第二十二條軍規的空子。到他飛滿二十五次，軍規改了，增到三十二次，飛滿三十二次，又增到四十次。

結果他到瑞士。

書中寫到不少壞蛋、內奸，腦子裡沒有正義、祖國，只有錢。都是作者親自經歷過來的，寫得很真實。他的命意，是美國都在二十二條軍規中控制著。二戰雙方，內部都很黑暗。

蘇聯作家後來也寫了軍隊中的黑暗面。

沒有軍中生活的作家，和我們小時候一樣天真，相信所謂正義之師。寫黑暗面、寫人性，我以為是作家的天職——索忍尼辛，我還是尊敬他。他的世界觀、藝術觀，簡單了些，但他的控訴文學是偉大的道義。

我在上海時，有廠裡的小夥子推薦《第二十二條軍規》給我看，告訴我說，還有意識流小說，王蒙不得了，寫意識流小說——回想起來很有趣。他們認為我是「古典作家」，時常考我、教導我，把當時那點可憐的文學訊息告訴我，什麼存在主義呀、意識流呀，還有所謂「推理小說」。

我安靜地聽，表示很驚訝。我處世的方法：有些場合，裝不懂。現在回去可不這樣了——告訴他們：老子長大了，頭髮也白了，要聽聽我的。可是那些小夥子現在心思在別的地方，對文學沒興趣了。他們不知道，那時的青春期，是他們一生中的黃金段落呀。

現在，我來紀念他們的青春。

（休息）談到寫實繪畫的困境：一個是要拿來謀生，一個是技巧實在比不上古人。那些靜物畫，技巧要什麼有什麼。你要雜技，拋五把刀子，一把刀子掉下來，你不能說：「I am Sorry.」

我在杭州時臨拉斐爾，開始信心十足，兩個禮拜後認輸——弄不過他，差遠了。

我們只好找另外一條路。你說是取巧也可以，你說是謀生也可以。畢卡索，那是他的寫實技巧足夠抵得上，他放棄，不要了。

用別的辦法謀生，畫畫玩玩，那是最好。

《軍規》無疑是本好書。好在哪裡？既是超現實主義，又是現實主義，很飽滿。缺點呢，黑色幽默的通病——為了諷刺，把事物誇大扭曲到離譜，流於荒誕，深度失去了。這深度，我的意思是事理、涵義、人性的深度。

藝術不可以全然荒誕的。荒誕解構了真實性，缺乏真實感——尤其是小說——藝術就沒有味道了。人很可憐，人的思想發展到一個高度，就知道絕對真實是沒有的，不可能的。但這樣子活著就沒意思了，於是人執著於相對的真實，活下去，使生活稍微有點意思。

怎麼說呢？比喻：人生如夢，不真實。但人生比夢真實一些，所以人生還值得活下去。夢中情人，還是不如真情人，我要見那個真情人。

我愛的是人生，不是夢。

人請你吃飯，一個約會地點在中國街某飯店，一個地點在夢中，你到哪裡？我在夢中總是窩囊的。（在黑板上寫「窩囊」，一邊寫一邊說：「這窩囊二字，很窩囊。」）

不要放棄真實。這點僅有的真實沒有了，就什麼也沒有了。智慧、道德，戰戰兢兢活在這一點點真實中，我們靠這點僅有的真實活下去。

荒誕派要毀掉這僅有的真實。

對真實的這些議論，是大題小做。怎麼大題小做呢？有兩種做法：整個現代藝術、現代哲學，都是在毀掉相對的真實。其次，人類精神在毀掉相對真實後，無以為生。

假如有個魔法師可以讓你每天做美夢，可是你的生活照舊很平凡——你一定選擇生活。

宗教把絕對的生活歸於神。古代人信神，就活得心安理得，覺得有了絕對真實，相信人死了就是回到上帝那裡去——所以古代的生活很好哎！

後來，是哲學、科學，拆了宗教的臺，哲學成了控告宗教的原告，科學在旁邊做證人。藝術，做了無神論的最高榜樣，不僅否認神，還取代了神，不僅取消了神的諾言，還自己創造諾言，立即在現世兌現。

一切有宗教信仰的哲學家，不是哲學家，是神學家。只有無信仰的、無神論的思想家的著作，才是哲學。

神的存在一否定，絕對真實就動搖。泛神論就是民主化，是神權的平民化，絕對真實，就是極權。

希臘、印度是有神論，叔本華、尼采是無神論。存在主義的過程中，齊克果是有神論，沙特是無神論。

上帝一死，人的道德依據、心理依據，統統死了。十九世紀，上帝死，二十世紀，人死，這就是二十世紀的景觀，也可說是最後的景觀。

人類開始胡作非為。

你們是畫家，不太關心哲學。我好思想，總要東張西望：哲學正在被肢解。現代繪畫，也是把繪畫的因素一點一點毀掉。

各路文學，都在反傳統，反托爾斯泰、反巴爾札克——大規模自殺。原因是什麼？有沒有建設性意見？

一，沒有真理。

二，相對真實。

需要相對真實，要尊重相對真實——我寫作，一直是這個意思。但我不肯明說。在菜場買菜，前面一位老太太籃子裡掉了一棵菜，我和李夢熊相顧笑笑。我說，別笑，我不會下流到去撿這顆菜。

我不是先知的料，我很自私。耶穌太瞧得起人類。我看見十字架就逃——但我把前面說的意思，放在作品裡。我不會弄「集裝哲學」，我做的是「散裝哲理」。

人類奇賤，嚇唬他、壓服他，人類才會聽話。

三，任何事物有個限度，可以稱之為機械強度、物理強度。木柱、鐵柱，超過承重量，就斷。人性的強度，從十九世紀到二十世紀一百年，頂不住了。

釋迦、耶穌做不到的事，你會去做嗎？

你們會問：那麼你靠什麼活呢？很簡單，我安於相對真實。有神論、無神論，是玩玩的。從前愛過一個人，知道忠實是不可能的。一個人不可能只吃蘋果，不吃別的果子——否則也不知道蘋果的滋味——忠實是不可能的。忠實是乏味。

客觀不干擾你，主觀上，兩個人相愛，好了嗎？不，兩個人都老了——這就是真實。

我面對這真實，怎麼取得相對真實？從前，我愛過她，她也愛過我，心理有感應，肉體有歡樂，這就是了，這就好了。這就是相對真實。

情人化仇人，容易。情人化朋友，很難。

假如回去找老朋友，我會去。但不會找從前的情人——情人是完成了的，完了；朋友是Unfinished——就算感情在，肉體老了，青春殘了。青春肉體不再，愛情就不知還是什麼。

忙碌勞苦，信主義不成，信錢；信錢不成，信下一代。買這個，買那個，是占有欲。我有了這，我有了那，以為那是絕對真實。

空的。佛教就靠這個道理把人類說服。

一般人相信他們的種種絕對真實，談不上宗教、哲學、藝術的高度。只要這點真實一死，就沒有了。

要相信相對真實。夫妻的意思，就是憑道義、義務共同生活，是守約，不能去要求愛情。愛情，是青春、美貌、神秘。夫妻呢，是有福同享、有難同當。

愛情，是性為基點，化出種種非性的幻想和神話——歸結還是性。都說性徵是性器，其實第一性器是臉。真不好意思，人類每天頂著性徵走來走去。

毛髮、皮膚等等，都是性徵。可見造物主用意之淫。

愛情好在是性的起點，把什麼美德啊、智慧啊，激發起來。真的愛，到關鍵時刻會犧牲自己。

性，不會這樣的。性只顧自己。

紀德的小說〈田園交響曲〉中，牧師給死人料理喪事，發現有受凍的小女孩，乃死者遺孤，救起來。長大，美麗。牧師不愛妻，愛這女孩，女孩也愛他。但女孩目盲，開刀目明後，女孩轉愛牧師的兒子。

不怪人家。人，天生是這樣的。

我少年時跟一個女孩子通信，因為寫寫文章，愛慕，通了三年多，後來一見面，從此不來往了。三年柏拉圖，一見，一塌糊塗。勉強地吃飯、散步，勉強地有個月亮照著。

愛，好好地結束，還有相對真實，如果惡惡地結束，回憶都不願意回憶。

（笑起來）我有俳句：「中國有人家裡不養雞，不養狗，一遇到事，雞飛狗跳。」

結論：追求絕對真實的人，不能享受相對真實。意思是說，他什麼都享受不到。史達林昏倒後，沒有人進來救他。

我的形上生活，是極其形下的。一個人要從遠處回，從高處下，從深處出。

我總歸承認自己智商低。他不好，我不恨，他好，不嫉妒，高興也來不及，去聽莫札特、貝多芬。

愛情是中間段。你嫉妒什麼？左面是欲望，右面是思維。我把愛情抽去後，欲望不可能了，就往思維那邊發展——我用荷爾蒙寫作。

從生物觀點看，性欲的愛，其實是要傳種。

馮內果、《第五號屠宰場》

馮內果（Kurt Vonnegut，一九二二—二〇〇七），寫《第五號屠宰場》（*Slaughterhouse-Five*），寫德國德勒斯登炸毀的情形。二戰時他被德軍俘虜，眼見德勒斯登夷為平地。一九六七年，他重遊德勒斯登，感慨叢生，兩年內寫成這部小說。

美國反戰觀念是直接提出的，蘇聯反戰觀念是曲折迂回提出。中國作家從未提出「反戰」這個主題，不知道在幹什麼。馮內果站在和平主義立場，他說：「任何情況下我們都不該打仗。」我同意，但人性要打仗。戰爭，是少數人要打，不是多數人要打。書中有個美國上校說：「我以為戰爭是我們上了年紀的人打的，結果發現剛刮了鬍子的少年在戰場，吃了一驚！」

多少可愛的人去殺了多少可愛的人。

戰爭最好發生在電影上。只有馬不知道是假的，翻在地上，其他兵都知道在拍戲。

書中先寫城市的美，然後寫轟炸。一炸，什麼有機物都燒起來。炸死十三萬人（該燒死的人都沒燒死）。

我想到（平常沒想到）只有文學家能站出來說話。畢卡索畫《格爾尼卡》（*Guernica*），不像戰爭的。音樂，不能作一曲罵戰爭，哲學家是隔著軍靴搔癢，科學家被迫做幫兇。

文學家是偉大的！

戰爭還會來的。人類還會製造奇巧的、殺傷力更大的武器，造了，就會用。自然規律，是要把地球變成一個自然冷卻的死球，在這之前，人類自己會把這個球毀掉。我寫：

「悲觀主義是不得不悲觀的意思，此外沒有別的意思。」

我想過，列寧為什麼那麼痛恨悲觀主義。好像有些人是宇宙的大老闆，宇宙的存在好像是為了實現某種主義。我們這些驚弓之鳥鵬飛海外，現在想想那個時候，無不滲透那種恐懼。

黑色幽默作家不少，各有專長。這個流派好像也是命中注定，真的有幾個人約好了似地追求一個風格。命運。幾個人湊在一起，是個超乎個人的命運——黑色幽默和批判現實主義比比，怎麼樣？

後者在十九世紀，叫做寫實主義、自然主義，或現實主義。「批判現實主義」這個詞，是蘇聯人正式提出來的。「社會主義現實主義」充滿教條，只有天賦很高的人，譬如昆德拉，不受社會主義現實主義影響，我稱他兄弟。不能擺脫這種教條影響的人，再叫再跳，還是弱者。

黑色幽默，面對的東西很有限。但他們要針對的是人類、人性、人文的生死存亡問題。可是他們插科打諢，像個原告在法庭上手舞足蹈，又跳又笑，弄得被告也嘻皮笑臉——法庭最後就說：算了吧。

油滑是無力的。我的意思是，狂歡節上可以扮小丑，法庭上不行。在作品中，要保持法官的尊嚴，這是最高的也是最低的要求。

我用幽默，當它是辣椒放在菜裡，調調味，意思還是要你吃菜。

下次講魔幻現實主義。

第82講

魔幻現實主義（一）

馬奎斯《百年孤寂》

1993.12.5

簡單講，魔幻現實主義是幻想和現實、西方現代文學和本土民間神話傳説的結合。作者的思想是民族主義和人道主義，題材是暴露莊園主和窮人，方法是用意識流和心理時間交叉，來表現人物內心世界，一貫手段，是象徵、暗示、誇張、夢囈

一扇門要開，手裡要有一萬把鑰匙，一把一把試過來，來不及的，良師告訴你，一用，就開了。

中國人到歐洲去，第一是宅心不正，都想去順手牽羊、順手牽牛，到了那兒，不感動，也不愛，更談不上理解，抱著虛名實利去的，盜也談不上，只是賊。對新潮的文化，學點口頭禪。

開課前閒聊。木心：有二十多種蔬菜在美國不易吃到了。水芹、萵筍、薺菜、苦菜、茭白……新新鮮鮮地頹廢著。天然地人工。

西方，沒有人懂中國。

拉丁美洲的文化全盛期

魔幻現實主義一度沸沸揚揚，鬧得很兇。在中國先是耳聞，後來有譯本，再後來，有人學了，學得非驢非馬。

先講講人類世界文化現象的大觀。我在這兒不能論證這個大題目，而是說，每個地區民族都有他們的文化的全盛期。沒來的，會來，來了之後，就消失——過去了，不會再來了。

這就叫文化形態學。有一陣我對文化形態學很有興趣，後來想到，拿一個理論去說一切？意大利文藝復興，不是指意大利有過「文化」，又再「復興」。

縮小範圍，有的民族，文化全盛期過後，還有小範圍的復興，總不如全盛期規模大，不成其為一個大時代，往往是異數的，幾個天才的事，不是群體的（像唐朝那樣）。

放寬看，中國文化全盛期、黃金期，是初唐到南宋，很驚奇，個個好，都有一套，拿幾句出來，可以抵好多人。

認識這些有什麼好處——學林問我：聽古典音樂有什麼好處——我們在現代，碰到的絕不是黃金期，只能做做異數，還有作為。各造各的寶塔。不怕孤獨，不怕單幹，這是非黃金期的藝術家的特徵。

中國人多，照比例，天才一定該出現——這概率論，在文化藝術上不通的。不是人多就必有天才。螞蟻再多，不會出個鋼琴家。

例子來了——魔幻現實主義是拉丁美洲的文化全盛期。之前，拉丁美洲沒有過。

瑪雅文化，我也喜歡的，那是宗教的，限於墨西哥一帶。我注意過：希臘是向前看的，瑪雅是反過來向後看的。那種文化，要殺人。我不想看，沒去，已經失望了。那種文化是一種此路不通的文化。

希臘文化：此路大通。

簡單講，魔幻現實主義是幻想和現實、西方現代文學和本土民間神話傳說的結合。作者的思想是民族主義和人道主義，題材是暴露莊園主和窮人，方法是用意識流和心理時間交叉，來表現人物內心世界，一貫手段，是象徵、暗示、誇張、夢囈。這條路子不錯的，是條生路。它有本土的本錢，又有世界上前衛的文學方法，開發起來，很有意思的。

而且出了天才。所謂文化全盛期，就是天才紛紛降生的時代，拉丁美洲那時不少天才，有得了諾貝爾獎的，不得獎的也非常好，也該得獎的。名單：馬奎斯、阿斯圖里亞斯、博爾赫斯、科塔薩爾（Julio Cortazar）、聶魯達（Pablo Neruda）、多諾索（Jose Donoso）、略薩（Mario Vargas Llosa）、魯爾福（Juan Rulfo）。

馬奎斯是哥倫比亞人，阿斯圖里亞斯是危地馬拉人（危險的地方馬拉起來。編按：台灣譯瓜地馬拉，後統一作瓜地馬拉），博爾赫斯是阿根廷人，聶魯達、多諾索是智利人，略薩是秘魯人。

人性裡不是有個共通的東西嗎？我一直覺得有。再古、再偏僻的地方的書，我都看得懂。散文——幾百萬字——我要寫這個東西。要到世界各地遊覽，不可能，我只能在書齋裡工作。很早，快四十年前，我就想寫一本書，書名是《巴比倫語言學》。怎麼寫呢？一直在想，最近想出來了：寫三千俳句（已經寫成二千），這些俳句，就是這本大散文的藍本——把三千俳句擴展開。俳句，還像蟋蟀草，一撩撥，蟋蟀咬了，我就可以寫開來。

謝謝上帝給我這個啟示。

以上幾位是一流的，可見二流三流還有好多。從名字上講，魔幻現實主義出在德國，法蘭茲．羅（Franz Roh）在研究後期表現派繪畫時，用「魔幻現實主義」這個詞（總名是《魔幻現實主義．後期表現主義．當前歐洲繪畫的若干問題》〔*Nach Expressionismus: Magischer Realismus: Probleme der neuesten europäischen Malerei*〕）。

魯爾福的長篇問世後，以嶄新的形式、深刻的思想，震動世界。這是五十年代。六十年代，馬奎斯的《百年孤寂》引起更大的震動。從此，魔幻現實主義愈來愈壯大，政治傾向也愈來愈明顯。

馬奎斯、《百年孤寂》

賈布列爾．賈西亞．馬奎斯（Gabriel García Márquez），一九二七年出生於哥倫比亞一個依山傍海的小鎮。父為醫生。小時候跟外公外婆聽了許多民間傳說（很正常。現在的小孩哪有外公外婆講故事——小時候，一點雨露陽光很重要啊），馬奎斯因為這影響，愛好文學。在大學是攻法律的，期間自由黨與保守黨鬥爭很激烈，造成社會動亂。他停學，從事新聞工作，同時自己寫作。一九五四年，做了報館駐歐洲的特派記者。一九五九年，任古巴拉丁通訊社美洲駐波哥大的記者。一九六〇年，任該通訊社駐聯合國記者。一九六一年，遷居墨西哥，從事新聞和文學創作。

為什麼特意講一講？這樣的作家，很入世，很男性。參加戰爭，做記者，頭腦靈敏，消息快。按理說，這種生涯可以殺死一個天才，尤其可以殺死一個詩人。可是天才埋沒不了的。怎麼忙，怎麼弄，埋沒不了的。

一九五五年第一部長篇小說《落葉》（*La bojarasca*），寫一小鎮上某一家族的命運。六十年代，又寫了這家歷史的幾部小說。他和福克納一樣，老寫一個家族（看來只能寫一個家族，逃不了的，宿命的。只有一個家呀，別的故事，在別人家裡）。一九六七年，出《百年孤寂》（*Cien años de soledad*），一舉成名。他學識淵博，修養深厚，既熟悉拉丁美洲文化、歷史、傳說，又研究歐洲文學傳統，認真研究過艾略特、喬伊斯，對阿拉伯文學也感興趣。

聽來，平平，我看，大有深意——這樣的經歷、教養，中國作家有幾個？巴金出去留學，怎麼樣？中國許多作家現炒現賣，平時只讀同代人的作品，中國古典文學大致限於《三國演義》、《水滸傳》、《紅樓夢》、《金瓶梅》，頂多加上《儒林外史》、《官場現形記》之類。歐洲文學按名氣找了看，領領市面，不看到實質。對西方現代文學，好樣不學，學壞樣。這點正常的學養沒有，談什麼才華抱負？

對中國文化有多少根柢，這是廣義的家教；在武術上，是童子功（結婚以前，都叫童子功）。沒有，後來補，也應該補，要有良師指導，讀不懂，要硬

馬奎斯，小時候從外公外婆那裡聽了許多民間傳說，因這影響，愛好文學。一九六七年出《百年孤寂》，一舉成名，從此魔幻現實主義愈來愈壯大。

讀，總之快點補，下功夫。一扇門要開，手裡要有一萬把鑰匙，一把一把試過來，來不及的，良師告訴你，一用，就開了。

對歐洲文化，我以為是這樣：第一，宅心要正。你們放眼去看，中國人到歐洲去，第一是宅心不正，都想去順手牽羊、順手牽牛，到了那兒，不感動，也不愛，更談不上理解，抱著虛名實利去的，盜也談不上，只是賊。他們不愛歐洲，歐洲也不愛他們。對新潮的文化，學點口頭禪。

《百年孤寂》，那麼厚一本書，要去看太麻煩。講一講。有點意思。寫馬孔多地方一個布恩蒂亞家族七代人的遭遇。這種雄心，很可貴。任何家族，七代下來，總有花樣（我曾聽有個老太太說，她三十幾年不出門，沒有穿過套鞋、沒有打過傘。我說，這寫下來，好極了，這麼平凡的生活，怎麼過來的？只要有技術、誠懇，都能寫出來）。書中的世代更替，很有景觀，末了由於亂倫，嬰孩長尾巴，唯一一個後代，給紅螞蟻咬死了。

這個故事結構不錯的，是悲觀主義，這就不簡單。這個主題，容易大，後來成為阿根廷近代的縮影。關於《百年孤寂》的評論，大致是：情節是荒誕的，象徵是巧妙的，誇大是有強度的，描寫是真實的。

（丹青插話：去年有人送我《百年孤寂》，怎麼也看不下去。木心：這本書，講講可以，去讀，太悶熱。我吃過墨西哥菜，太多了，吃不下。）

魔幻現實主義占的優勢，不是魔幻，是現實主義。魔幻、奇妙，不是不知道。我還是喜歡平凡，平凡中的奇妙，那才奇妙。他的中短篇，我也佩服。他寫奇妙怪誕的事，不帶歧異，當做真的一樣去寫，這是厲害的，生命力強大。

魔幻現實主義總體上的生命力，強過象徵主義、超現實主義，比它們厚重。只是我覺得不夠舒服——魔幻呢，太魔幻，現實呢，不夠現實。

太自覺，太興奮。

標舉一種「主義」，當然是自覺的。完全自覺，就不免做作。莫札特，既自覺又不自覺，從來沒有「莫札特主義」。最高的藝術，自己不會成主義，別人拿他當成主義，也主義不起來。我對各種各樣的主義，好比窗戶開著，瞧瞧鄰家男孩。好看嘛，看看，不好看，看看雲。單身漢，單在藝術上。

散課。大家又談起上次公園的散步。木心：

中國的公園，許多人在那裡弄氣功，抱住樹，晃頭——那是怕死，沒有別的意思。窮凶極惡地怕死（說著，學抱樹晃頭的動作）。他們心裡在想：一個呢，這樣可以不死，一個呢，這樣不花本錢。

中國人，我們太懂了。到外國的公園，看到他們跑步、跳，真健康，真好。（說著，又學打太極拳的動作）這是在同死神耍陰謀。一個好好的人，一打拳，難看。

第83講

魔幻現實主義（二）

阿斯圖里亞斯　《總統先生》　阿左林　俄國文學的月亮

1993.12.19

文學範疇，你不理會歐洲，等於在蠟燭下研究電燈，不如直接裝上電燈。反之，完全投向歐洲，不要自己，總歸強不過西洋人。你可以染金髮，發根長出來，還是黑的。

開放以來，中國人也讀了尼采、佛洛伊德，可是只當趕時髦，西裝穿了一陣……。（中國人下流到我肅然起敬——將來回去，慈悲為懷。）

「文革」中，我第一信念是不死。平常日子我會想自殺，「文革」一來，絕不死，回家把自己養得好好的。我尊重阿赫瑪托娃——強者尊重強者。

阿斯圖里亞斯——魔幻現實主義的先驅

今天接下去講米格爾・安赫爾・阿斯圖里亞斯（Miguel Angel Asturias，一八九九—一九七四），生在瓜地馬拉，父為法官，母為小學教師。從小熱中伸張正義，反對暴政，幼年教育是革命性的。學過法律、人類學，研究印第安古文化。

落後地區，不開化地區，一個傑出的人物，都要從精深的學歷做起。可是強大的民族，法國、意大利，一個有才華的人不必什麼學歷，就成功。達文西、米開朗基羅、貝多芬、莫札特，你去想想，一定出生在意大利、奧地利等——南美的成功的作家，個個都很有一套學歷，這是一個事實，不是一個規律。

阿斯圖里亞斯在瓜國新政府辦雜誌，寫小說，參加世界和平運動。新政府垮臺後，避居阿根廷。他曾來中國，參加過魯迅逝世二十周年活動。後回國，任職外交部。一九七四年，死於馬德里——滿堂堂正正，沒有什麼烏七八糟的事。

最有名的小說是：《總統先生》（*El señor Presidente*）、《玉米人》（*Hombres*

de maíz），和被稱作「三部曲」的《旋風》、《綠衣主教》、《死者的眼睛》。此外還有詩集《賀拉斯主題習作》，短篇小說集《瓜地馬拉的週末》（*Leyendas de Guatemala*），小說《珠光寶氣的人》、《混血女人》、《麗達·薩爾的鏡子》、《馬拉德龍》、《多洛雷斯的星期五》等等。

他是魔幻現實主義的先驅者，把拉美文學和西歐文學結合起來。獲諾貝爾獎。

對全世界來說，還是以歐洲為中心，你偏不走西歐的路，自己去找一個——不可能，不行。日本不怕西化。好像皮鞋，你不肯穿，一定要找另外一種鞋，何必呢？在上海時，他們要我設計一架鋼琴，設計完了，說，怎麼沒有民族風格——鋼琴就是鋼琴，為什麼要有民族風格？

他們確實懂得拉美文化，又懂西歐文化。

文學範疇，中國沒有走這條路。你不理會歐洲，等於在蠟燭下研究電燈，不如直接裝上電燈。反之，完全投向歐洲，不要自己，總歸強不過西洋人。你可以染金髮，發根長出來，還是黑的。

忘本，就是失去了資本，這是常情、常道、常規。現在開文學研討會，每個作家要他寫一首五言、七律，完了。

拉丁美洲作家，很正常地活動著。我們沒有。

要寫本民族、本國，寫得綽綽有餘，然後向上越軌，寫世界。可是向下越軌，就賣本民族民俗，滿足外人的偷窺欲。你看西方，沒有人標榜民族性、標榜地方色彩。他們有的是個性、風格，那才是好樣的，有種。畢卡索從來不畫西班牙美女或者家鄉風光，然後拿到巴黎去打天下。

講講《總統先生》。一個反動軍官因粗暴行兇，被一個粗人打死。「總統先生」來審判，把這事安到政敵身上，殺死了一個大學者。可是敵人中還有一位將軍，難以加害，他就利用親信使計，讓將軍逃，一逃，就可安罪名，趁機加害。將軍到底是將軍，一逃，就起義對抗了。可是將軍的女兒逃不及，被捕、抄家，痛苦生病。總統的親信愛上了她，跟她結婚，總統把這婚事登了啟事，氣死了將軍。總統又使親信去美國，中途逮捕，告訴他將軍女兒做了總統的情婦，親信萬念俱灰，死在牢房。其實，那女兒到處找丈夫，最後帶著孩子移居鄉下。

有點雨果，有點巴爾札克，有血性，有生命力。

現代文學有個總觀念——我極重視這個總觀念——你要走向未來，你得走過現代藝術的洗禮。你再豐富的傳統、知識、技巧，不經過現代藝術洗禮；你走不到哪裡去。

我是暗暗走這條路。不然，寫起來還不是「五四」時期的老調調？畫畫的道理也一樣。如果到今天還在「外師造化，中得心源」，哪裡能行？在座各位，洗禮都洗了，洗得不夠、不透。深度加深，密度加密，廣度推廣。

知其一，不知其二——以為「一」拿到了嗎？不，「一」也沒拿到。你不能舉一反三，「一」也不行。

大人虎變，小人革面，君子豹變。

洗禮的工作還在後面，還沒完成。大家眼界是開了，鑒別力是強了，現在要看個人作品了。連古典藝術的洗禮也包括，洗禮面要廣，臨摹有好處。水來了，水淋到身上了。

說這些，因為拉美作家少有西歐文化的秉承，多為自己的傳說神話，但他們聰明啊，他們用西歐的傳統。中國呢，有自己的傳統，卻不會用。

我讀博爾赫斯，底牌讀出來了——他也是尼采那裡出來的。

下個小結論：大家務必多方面接受現代藝術洗禮。上溯到古典、浪漫的洗禮，不要學我這樣的大而化之。我的思辨時期已經過去了——我愛藝術，已經愛過了，應該藝術來愛我。她不愛，只好由她去——其實是還在思辨。大家正在愛藝術的時期，好有好報，惡有惡報，有一天，藝術會愛你的。

博爾赫斯——以歐洲文化為光榮

博爾赫斯（Jorge Luis Borges，一八九九—一九八六），阿根廷著名作家。一八九九年生——比我大二十八歲，應該稱他文學前輩，感覺上他是我文學表哥——從小熱愛文學。這非常對。說起來也怪，沒有考慮的，就喜歡，誰也沒有告訴你，你要去愛藝術，都是不假思索。仔細想想，這很怪。現在我想通了：這是命，命裡注定的——中國叫做命有文昌。命無文昌的人，出身書香之家，也等於文盲。

博爾赫斯的父親是醫生，家境大概不錯。一戰時全家搬到瑞士，後來入英國劍橋大學。一九二一年回本國，在圖書館任職。曾獲阿根廷國家文學獎、西班牙塞萬提斯獎，多次提名諾貝爾獎，未得，後來說是有政治原因。

最重要的是，他受叔本華、尼采影響。他崇敬歐洲文化，以歐洲文化為光榮。他也深受歐洲現代文學影響。他的散文，語氣、著眼點，我都引為同調。

博爾赫斯，阿根廷著名作家，多次提名諾貝爾獎。

（休息）木心：松鼠的尾巴，簡直天才。藝術家沒有天才，等於松鼠沒有尾巴。有個松鼠天天到我窗前，給牠吃的。有一天沒有給，那松鼠看我的眼神，完全是老朋友的眼神。

聊到春末提前穿夏裝的人。木心：

我有俳句：「提前穿夏裝的人，都不壞的」——要這樣去切入。那種人，敏感，愛美，先穿了，其實和好人壞人沒關係。但這種感覺要寫出來，得找切入點。食品的鬆脆也很奇妙——各種味覺和舌頭有關，鬆脆和牙有關。長期不咬鬆脆，人有氣無力。我的文句，有時追求鬆脆的效果。

分吃烤麵包，木心說好吃。最後剩一片，大家留給木心。他接受時笑說：人生還是要做教師好。

博爾赫斯有小說〈小徑分岔的花園〉（El jardín de senderos que se bifurcan）、〈阿萊夫〉（The Aleph）、〈死亡與指南針〉（La muerte y la brújula），情節奇幻。我更喜歡他的散文，短篇小說看起來也比較舒服。

他的散文與我比較同調，詩呢，對不起，我比他好。他是小說家寫詩，我是詩人寫詩。這不是驕傲，不是，是豪邁。譬如帕華洛帝，音量過人，你說他是驕傲？螞蟻說大象驕傲，那意思是說要縮小到像螞蟻，才算謙虛？

魔幻現實主義不多講了，我要大刀闊斧講講其他流派。下一課是最後一課——我們走了五年的「文學遠征」。

結構現實主義

「結構現實主義」，七十年代流行南美。特點：

一，鮮明的立體感，有視覺、聽覺，多角度的鏡頭感，獨白，雙線平行對話法，配合型對話法，話題的均衡法，這些都是參考電影手法。

二，結構零件說。通俗解釋，是學畢卡索的立體派，破壞對象，解體，由作家重組。

三，主張文學介入社會，要以社會集團為對象。

四，意識流手法。

「九八年一代」及阿左林

「九八年一代」，是西班牙一派（指的是一八九八年美國、西班牙爭奪殖民地，西班牙丟失波多黎各和古巴，從此一蹶不振。此前西班牙也和英國一樣，號稱「日不落帝國」）。可是西班牙有識之士提出全盤西歐化、發展經濟、普及教育，等於他們的改革開放。

特點：

一，重新認識世界，重新愛這個世界，介入這個世界。

二，追溯西班牙歷史，不是官方顯史，而是民間潛史。

三，愛護、歌頌西班牙的山川風物。

四，受尼采、叔本華、易卜生、托爾斯泰、愛倫坡影響，奉塞萬提斯為楷模。

以上主張，中國藝術家做不到。開放以來，中國人也讀了尼采、佛洛伊德，可是只當趕時髦，西裝穿了一陣……。（中國人下流到我肅然起敬——將來回去，慈悲為懷。）

「九八年一代」作者很多，不一一講，只講阿左林（José Martínez Ruiz，一八七三—一九六七），他是我少年時代最要好的西班牙朋友，我的散文風調受他影響的。他出生於西班牙律師家庭，童年不幸福，整天躲在閣樓上讀書。學法律，卻到報上投稿。兩個主題，一是回憶童年，一是對祖國的愛戀。他寫過評論、戲劇，最好的是散文、隨筆，滋養過我的少年，是馬德里來的老朋友——人生不可沒有文學，文學不可沒有朋友，朋友不可沒老朋友——老朋友，不用多囉嗦，我說是「私人典故」。他用詞精銳，音韻和諧，風格樸實，語言優雅——你們讀到他的散文，會覺得與我的相似——李廣田譯過他的《西窗集》（內有阿左林小集），商務印書館出版，很雅致，灰綠封面，其中有阿左林的照片。

現實生活中人來人往，找不到好朋友，書本中有；後來我學會用真的感情對待他們，一個人，與生俱來的情總要用完了再走。生活中用不到，就用在精神觀念上。

情，有各種情。最近發現，我還有慈愛，就把慈愛用在動物花草上。晚年是這樣淒涼，可是貝多芬家不開Party。

藝術家，晚年應該孤單冷清，有了藝術，就可以了。寧靜致遠，淡泊明志，這是古代人講講的，他們還是想升官。我真的喜歡寧靜、淡泊，古人不會玩，我淡泊，但我會玩。

阿左林，「一九八年一代」作者之一。木心的散文風調受其影響。

說開去，為什麼我厭惡名利？因為不好玩。莫札特貪玩，寫詩，我可以跟他玩玩。不能徒貧賤，也不能苟富貴。富貴，累得很呀。但也不能徒然弄得很窮。小孩子愛玩，玩到哭為止，不弄到哭，不肯停的。我哭過很多回了，「文革」把作品抄走，我哭了。「文革」過去，我又玩了。

阿克梅派及阿赫瑪托娃

阿左林講過了。五年文學遠征，這是樂趣，你知道了：要誰，不要誰。下面換換口味，講講俄國文學：

「阿克梅派」（Akmeism），音譯，出於希臘文「最高級」，因此也被譯成「高峰派」。說起這一派，「文革」前我和李夢熊的許多話題都是阿克梅派——其中成員很多，今天只講**阿赫瑪托娃**（Anna Akhmatova，一八八九—一九六六）。「文革」前我們一夜一夜談她的作品，來美國後在電視裡看見她（她的葬禮）是一身希臘白衣——「普希金是俄國文學的太陽，阿赫瑪托娃是俄國文學的月亮。」她是評家、散文家、詩人，一生坎坷，但晚年好。我有句：

「人生重晚晴。」她死於一九六六年，史達林已經過去了，所以她的葬禮才有這等場面。日丹諾夫（Andrei Zhdanov）曾在大會上罵她「修女加蕩婦」，太不像話！鬥得她好苦。她非常堅強、沉著，據理力爭，活到七十七歲。

早期詩集《黃昏》（*Evening*）、《念珠》（*Rosary*），在青年中轟動一時。她的詩非常柔情、真誠。她也聰明，轉向古典，研究普希金，譯中國的屈原，譯李商隱的〈無題〉詩。四十年代衛國戰爭，她卻寫了許多愛國詩，戰後有了正面名望，她又退回來，遠離當時的重大主題，寫自己的生活。

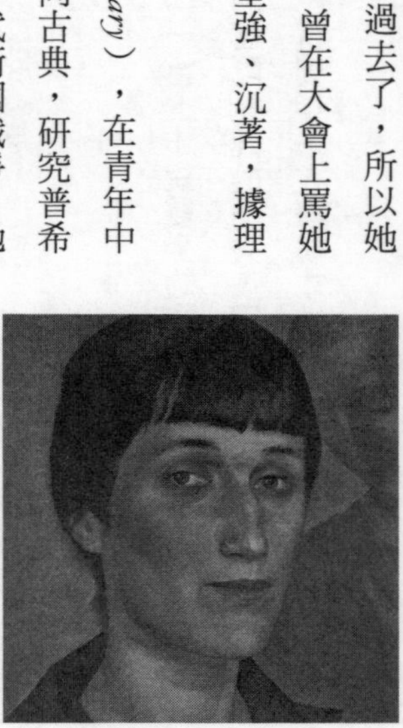

阿赫瑪托娃，評家、散文家、詩人，有「俄國文學的月亮」之稱。一生坎坷，晚年得到公平。

她一步一步都很聰明，可是一九四六年還是受辱，被開除出作家協會。她不甘沉淪，寫詩，愈寫愈大，寫到死。她的詩富於性情，適合年輕人讀。我不喜歡多情的詩，但她的才情一流，名字也起得好。原名是安娜·安德烈耶夫娜·戈連科，可是她改成阿赫瑪托娃，構成印象。

她真是好樣的。她寫抒情敘事詩，《沒有英雄人物的敘事詩》（*Poem Without a Hero*）成於一九六二年，獲意大利國際詩歌獎，一九六五年得牛津名譽博士。晚年她得到公平。電視上看她，光彩動人，有點胖了，但大貴族相，很莊重，死後慢慢沒入黑暗（由演員扮演）。

說到底，還是貴族出身有骨氣，頂得住。小市民一得勢，如狼如虎，一倒霉，貓狗不如。

「文革」中，我第一信念是不死。平常日子我會想自殺，「文革」一來，絕不死，回家把自己養得好好的。我尊重阿赫瑪托娃——強者尊重強者。現在看，她完全對，完全勝利。她與蘇維埃對立，她又寫愛國詩，是完全本色——這就是我說的公平。我們還沒有得到公平，正在等待公平，但我們已經得到了初步的公平。

一個溫柔細膩的女人，戰勝了粗暴殘酷的勢力。

古米廖夫（Nikolay Gumilev，一八八六—一九二一），才貌雙全的文學家，詩、小說、翻譯、散文，樣樣出色當行。他，就是阿赫瑪托娃的前夫，因在十月革命中反政府，被槍斃。直到一九八六年，他誕辰一百周年，在蘇聯才被紀念。這種遲來的公平是不公平的。

胡風、蕭軍，平反後拿不出東西來。寵他，迫害他，平反他，還是拿不出東西來。他們是文化工廠裡的工人，給老闆炒魷魚。他們說自己是文藝工作者，對的——文藝工作者。

中國現在不少文人，說到底，是儒家。儒家，三個月不做官，急死了。給官家請去喝喝酒也過癮。

好了，今天講完了。

最後一課

文學是可愛的　生活是好玩的　藝術是要有所犧牲的

1994.1.9
在陳丹青家

我敢於講，我今天講的，你們可以在六十幾歲時讀，讀了想：幸虧我聽了木心的話。

生活像什麼呢？像上街去買鞋，兩雙同價的鞋，智者選了好看的，愚者選了難看的。生活像什麼呢？傍晚上酒吧，智者選了美味的酒，愚者買了爛酒，還喝醉了。所以，快樂來自智慧，又滋養了智慧。

我可以徹底地說：藝術本來也只是一個夢，不過比權勢的夢、財富的夢、情欲的夢，更美一些，更持久一些，藝術，是個最好的夢。

課前看牆上《蒙娜麗莎》畫片。

木心：這張嘴放在那兒，不知道多少畫就不算了。你去臨？達文西自己也臨不了了。

一點二十五分開始講。

同學們，新年好。

今天很難得。那麼冷的天，世界文學史結束在很冷的一天。講課要結束了。我來講講我是怎樣講文學史的。本來是想把本世紀各個流派全講完，可是想想，這樣講，能托得住五年講下來的文學史嗎？

用另外一個方法講。講講我這個示眾的例子——從前殺頭，是要示眾的。這樣講，比較難。向來我在難和易的事情裡，擇難，從難處著手。這已經是我的第二本能了。

花了一天兩夜，寫了一個總結性的東西——完全離開文學史。要托住文學史，要一個夠分量的結尾。

這是我六十七歲時講的課。等你們六十七歲時，可以看看。像葡萄酒一樣，陽光、雨露，慢慢成熟的。吳爾芙夫人講：「我講的話，你們不會懂的。」那時她也六十多歲了。

年齡非常要緊的。我三、四十歲，五十歲，都讀過吳爾芙，六十多歲時，看懂了——看懂她對的、不對的地方。

我敢於講，我今天講的，你們可以在六十幾歲時讀，讀了想：幸虧我聽了木心的話。

我聽我自己的話。我聽的話，是別人告訴我的。譬如尼采，我聽他的話。不能想像沒有尼采，沒有從前的藝術家講的話，不可能有我的。

幸虧我們活在二十世紀，前面有二千多年，甚至五、六千年歷史。

今天我的最後一課，和都德的「最後一課」，性質完全不同。法國人而不准上法文課，那是非常悲哀。我們恰恰相反，中國人、中國文化，還沒有被消滅。

我對方塊字愛恨交加。偏偏我寫得最稱心的是詩，外國人無法懂。詩，無法翻。外國人學中文，學得再好，只夠讀小說、散文，對詩是絕望的。中國字，只能生在中國，死在中國。再想想：能和屈原、陶淵明同存亡，就可以了，氣也就平了，乖乖把「世界文學史」拉扯講完。

現代藝術，流派，愈來愈多。這是個壞現象。上次講過一個公式：直覺——概念——觀念。從希臘到文藝復興到浪漫主義，人類可以劃在直覺時代。直覺的時代，很長，後來的流派，都想單獨進入觀念，卻紛紛掉在時空交錯的概念裡。所以我一氣之下，把二十世紀的藝術統統歸入概念的時代。將來呢，按理想主義的說法，要來的就是觀念的時代。

我呢，是個翻了臉的愛國主義者，是個轉了背的理想主義者，是向後看的。拿古代藝術作我的理想，非常羡慕他們憑直覺就能創造藝術。

我愛人類的壯年、青年、少年、童年時期的藝術——文化沒有嬰兒期的——人類文學最可愛的階段，是他的童年期和少年期。以中國詩為例，《詩經》三百首，其中至少三十多首，是中國最好的詩。到了屈原、陶潛，仔細去看，已經有概念。屈原嘛香草美人，陶潛老是酒啊酒啊。

《詩經》三百篇，一點也沒有概念，完全是童貞的。

李白、杜甫，更是概念得厲害。到了宋、明、清，詩詞全部概念化。由此看，我的翻了臉的愛國主義，轉了背的理想主義，事出無奈，但事出有因。

講開去：一個人到世界上來，來做什麼？愛最可愛的、最好聽的、最好看的、最好吃的。

無奈找不到那麼多可愛、好聽、好吃、好看的，那麼，我知道什麼是好的。我在「文革」中不死，活下來，就靠這最後一念——我看過、聽過、吃過、愛過了。

音樂，貝多芬、莫札特、蕭邦等等。食物呢，是蔬菜、豆類，最好吃，哪裡是熊掌燕窩。愛呢，出生入死，出死入生，幾十年轟轟烈烈的羅曼史，我過來了，可以向上帝交帳。「文革」中他們要槍斃我，我不怕，我沒有遺憾。都愛過了。但還要做點事。我深受藝術的教養，我無以報答藝術。這麼些修養，不用，對不起藝術。少年言志，會言中的——往往壞的容易言中，好的不易說中。

以後，不可能兩個星期見面，很可能兩個月、兩年見一面。我要講大家一輩子有用的東西。講了，有備無患。你們用不用，悉聽尊便，我只管我講。是哪一些呢，分分綱目：

文學是可愛的。
生活是好玩的。
藝術是要有所犧牲的。
（翻原稿，發現我就此寫下去，沒有停頓地寫完了，可見那麼多年，我的思想可以沒有綱目。我知道我寫完了，算是把我的文學觀點架構起來了。）

先引老子的話：

知人者智，自知者明。勝人者有力，自勝者強。知足者富，強行者有志。不失其所者久，死而不亡者壽。

這真叫做是詩！最近又在看老子，老子是唯一的智者。看到老子，歎口氣：你真是智者，是兄弟。
歷來的哲學家、文學家，對人不瞭解。甚至對老子也不瞭解。蒙田，不瞭解人。馬克斯，對人無知。

自知者明。我看到牛，想：好可憐。望過去一團黑暗。

自勝者強。毛澤東能勝人，對他自己，對黨，全失敗。富，是要知足；百萬富翁，不富，因為不知足，他們在玩數字遊戲。金錢和健康一樣，一個健美男子，天天躺在床上，有什麼用？有錢，要會用。中國古代，有些人是會用錢的。倪雲林，晚年潦倒，剛賣了房子，錢在桌上，來了個朋友，說窮，他全部給那個朋友。這才是會用錢。強盜打他，他一聲不響，後來說，一出聲便俗。

真是高士。

我的詩的綱領：一出聲就俗。

拉遠了。強行者有志。「文革」初，老舍、傅雷……決定去死。為什麼？我不肯死——平常倒是想死。「文革」那麼兇，我用老子對付：「飄風不終朝」、「驟雨不終日」。結果呢，「文革」持續那麼久。我跟老子說：老兄，你也料不到。

不失其所者久。這個「所」，是本性。

死而不亡者壽，完全是指藝術家。

「孔子未亡必霸，而必為人所霸。」「老子治國，而生隨之亡。」這是我從前寫的句子。

「治國平天下」、「竊國平天下」、「亂世治國」，那是政客的事。哲學家不能治國。那是惡人的事。這個世界引起許多哲學家關心政治，可是他們不懂政治。毛澤東、鄧小平可以說：你們不懂政治。

死而不亡者壽。當然指藝術家。當時老子這麼說，不知是指藝術家、指哲學家。

文學是可愛的

「文學是可愛的。」

不要講文學是崇高偉大的。文學可愛。大家課後不要放棄文學——文學是人學——至少，每天要看書。我是燒菜、吃飯、洗澡時，都會看書。湯顯祖，雞棚牛棚裡也掛著書，臨時有句，就寫下來。

電視盡量少看。

西方人稱電視是白癡燈籠。最有教養的人，家裡沒有電視；最多給小孩子看看。電視螢幕愈來愈大，腦子愈來愈小。

理解事情，不可以把一個意思推向極端：我也看電視；尼采，克制不住地手淫——這樣他才是尼采。

鴉片、酒，都好。不要做鴉片鬼、酒鬼。什麼事，都不要大驚小怪，不要推向極端。

讀書，開始是有所選擇，後來，是開卷有益。開始，往往好高騖遠。黃秋虹來電話說在看老莊、在看《文心雕龍》。我聽了，嚇壞了——一個小孩，還沒長牙，咬起核桃來了。

開始讀書，要淺——淺到剛開始就可以居高臨下。

一上來聽布拉姆斯《第一號交響曲》，你會淹死。一開始聽《聖母頌》、《軍隊進行曲》，很好。我小時候聽這些，後來到杭州聽貝多芬的《月光奏鳴曲》，居然完全不懂。

對西方，一開始從基督教著手。要從完全看得懂的書著手，還得有選擇。至少到六十歲以後，才能什麼書拉起來看，因為觸動你去思考，磨礪你的辨別力，成立你自己的體系性（非體系）。你們現在還不到這個境界。

認真說，你們還不是讀書人。不相信，你拿一本書，我來提問，怎麼樣？要能讀後評得中肯，評得自成一家，評得聽者眉飛色舞，這才是讀者。

以俄羅斯為例，可以先是高爾基，然後契訶夫，然後托爾斯泰，然後杜思妥也夫斯基。我有時會頑皮地想，你們七、八個人，一天之中看書的總閱讀量，還不及我一個人寫作之餘泛覽手邊書。

這樣說，是為了激動你們去讀書的熱情。

也有一種說法：我們是畫畫的，畫也畫不好，哪有時間讀書？這就對了——大家看書不夠，就去畫畫了。

大陸的新文人畫，是文盲畫的文人畫，看了起雞皮疙瘩。識字不多的作家，才會喝彩。中國的文人畫，都是把文學的修養隱去的。李太白的書法，非常好，蘇東坡畫幾筆劃，好極了。

我不是推銷文學，是為了人生的必備的武器和良藥。大家要有一把手槍，也要有一把人參——最好是手槍牌人參，人參牌手槍。

大家還在青春期。我是到了美國才發育起來的，臉上一大堆看不到的青春美麗痘。第一見證人是丹青，他看到我怎樣成長起來；在中央公園寒風凜冽中，讀我的原稿。

我很謙虛哩，在心裡謙虛哩。

這樣嘛，才能成大器——中器、小器，也要完成。五年來，好處不少的。這些好話，留到畢業典禮上講。我給每個同學一份禮物——每個人都有缺點，克服缺點的最好的辦法，是發揚優點。發揚優點，缺點全部瓦解——不是什麼一步一個腳印，像條狗在雪地上走。狗還有四隻腳呢，許多腳印。

五年來，我們的課遭到許多嘲笑。我知道的。一件事，有人嘲笑，有人讚賞，那就像一回事了，否則太冷清——只要有人在研究一件事，我都贊成，哪怕研究打麻將——假如連續五年研究一個題目，不謀名，不謀利，而且不是傻子，一定是值得尊重的、欽佩的。五年研究下來，可以祝大家大器晚成。

認真做事，總不該反對。嘲笑我們講課，不是文化水準問題，是品質問題。有品質的人，不會笑罵。

文學是人學。學了三年五年，還不明人性，談不上愛人。

文學，除了讀，最好是寫作。日記、筆記、通信，都是練習，但總不如寫詩寫文章好。因為詩文一稿二稿改，哪有把自己的日記改來改去的？魯迅寫——喝豆漿一枚，八分錢——那麼當然八分錢，有什麼好改的。

我這麼說，是有點挖苦的。他們寫這些瑣事，有點《浮生六記》的味道。日記，是寫給自己的信，信呢，是寫給別人的日記。

你們傳我一句話，或描述我的有關情況，到傳回來時，都走樣了。我的說話和文學的嚴密性，我的生活的特異，由我傳達別人的話、別人的情況，可以做到完全達意，而慢慢做到可以達人家的意比別人更透徹。

外人聽了，會說自吹自擂，你們要替我作證：木心不是妖怪，是個普通的健康的老頭子。

我講這些，有用意的。

文學背後，有兩個基因：愛和恨。舉一例，是我最近的俳句：

「我像尋索仇人一樣地尋找我的友人。」

這可以概括我一生的行為。你們見過這樣強烈的句子嗎？說起來，是文字功夫，十五個字，其實不過是有愛有恨，從小有，現在有，愛到底，恨到底。

各位都有愛有恨，苦於用不上，不會用。請靠文學吧。文學會幫助你愛，幫助你恨，直到你成為一個文學家。

生活是好玩的

接著講，「生活是好玩的。」

安德烈．紀德的書，我推薦給大家，很好讀的——良師益友。他繼承了尼采、杜思妥也夫斯基，是個中間人。我現在還記得紀德的好處。當時我在羅曼．羅蘭家裡轉不出來，聽到窗口有人敲，是紀德，說：「Come on, Come on!」把我帶出去了，我永遠心懷感激。

紀德有書叫《地糧》（要找盛澄華的譯本）。他說：人應該時時懷有一種死的懇切（原話記不真切了。我是慣用自以為達意的方式重述）。這句話，你們能體會嗎？

我可以解釋，如果你們能領悟，聽我的解釋是否相一致。

人在平時是不想到死的，好像可以千年萬年活下去。這種心理狀態，就像佛家說的「貪、嗔、癡」——「嗔」，老怪人家，老是責怒；要這要那，叫「貪」；一天到晚的行為，叫「癡」。總之，老是想占有身外之物，買房、買地、買首飾，買來了，就是「我的」，自己用完還要傳給兒孫。放眼去看芸芸眾生，不例外地想賺錢，想購物。

學林有個親戚，打三份工，心肺照出來，全是紅的，然後就死了。心理學上，這是個工作狂，其實還是想占有。

他數錢時心裡有種快樂。拼命打工賺錢，筋疲力盡到死，這不是幸福。那些億萬富翁億萬富婆，也不是幸福。一個人不能同時穿兩雙鞋，不能穿八件衣。

家裡小時候也是萬貫家產，我不喜歡，一點樂趣也沒有。

推到極點，皇帝皇后總算好了吧？你去問問他，如果他們看得起你，就會訴苦。

所以為人之道，第一念，就是明白，人是要死的。

生活是什麼？生活是死前的一段過程。憑這個，憑這樣一念，就產生了宗教、哲學、文化、藝術。可是宗教、哲學、文化、藝術，又是要死的——太陽，將會冷卻，地球在太陽系毀滅之前，就要出現冰河期，人類無法生存。可是末日看來還遠，教堂、博物館、美術館、圖書館，煞有介事，莊嚴肅穆，昔在今在永在的樣子——其實都是毀滅前的景觀。

我是懷著悲傷的眼光，看著不知悲傷的事物。

張愛玲這點很好——再好的書，你拿去，不執著。這一點，她有貴氣。

不過你們可不要來向我借書——很奇怪，我一到哪裡，一分錢不花，書就會流過來。小時候學校因為戰爭關門了，書全拿到我家裡來。現在我的書又多起來了——各種書。

連情感——愛——也不在乎了。愛也好，不愛也好，對我好也好，不好也好，這一點，代價付過了。唯有這樣，才能快樂起來，把世界當一個球，可以玩。

諸位還是想買這個球，至少買一部分，但不會玩。

莫札特會玩。他偶爾悲傷。他的悲傷，是兩個快樂之間的悲傷。論快樂的純度，我不如莫札特，他是十足的快樂主義。我是三七開，七分快樂，還有三分享樂主義。

奉勸諸位：除了災難、病痛，時時刻刻要快樂，尤其是眼睛的快樂——要看到一切快樂的事物。耳朵是聽不到快樂的，眼睛可以。你到鄉村，風在吹，水在流，那是快樂。

你是藝術家，你就是人間的鳳凰，一到哪裡，人間的百鳥就會朝鳳——你這鳳凰在百鳥中是一聲不響的。

我外婆家開地毯廠，曬開來，有一天忽然飛來一隻鳳凰，周圍都是鳥叫。學徒看見了，回來告訴老闆，老闆趕過去，什麼也沒有。

鳳凰在萬物中一聲不響。頂多，寫幾句俳句。

上次我們不知不覺走到中央公園，你們問一句，我答一句，就是百鳥朝鳳。是一次彩排。我平常散步，靈感比那次還要多。

可是這鳳凰的前身是個烏鴉，烏鴉的前身呢，是隻麻雀。

安徒生說得比我好，他說，他從前是個醜小鴨。他的畫和用具到上海展覽過，我摸過他的手提箱。

在座人人都是醜小鴨，人人都會變成天鵝——也有人會醜一輩子。中傷誹謗之徒，拿了我的一根毛，插在頭上也不是，插在尾巴上也不是，人家一看，是天鵝毛。

諸位將來成功了，也有羽毛會給別人拔去用的。對這種事，最好的態度，是冷賢。

所謂「冷」，就是你決絕了的朋友，別再玩了。不可以的。決絕了，不要再來往，再來往，完了，自己下去了。人就怕這種關係，好好壞壞，壞壞好好，後來炒了點豆子，又送過去（送過去，碗沒有拿回來，又吵）。小市民、庸人，都是這樣子。

我已經是絕交的熟練工人了。

「賢」，就是絕交後不要同人去作對，放各自的活路。他們要墮落，很好，懸崖深淵，前程萬里。他們如果有良知，他們會失眠。

最好的學生，是激起老師靈感的學生。丹青是激起我靈感的朋友。只要還有百分之零點幾的良知，他就會失眠。推出山門，回來後就不像樣了。他們背離的不是我，而是我所代表的東西。這是我不願意有，但避免不了的象徵性。從小就有，我不要有，就是有，沒有辦法。

這種現象的存在和激化，就是生活中的快樂。耶穌行了許多奇蹟，我們是凡人，不會有奇蹟。但有一點，被你拋棄的人，後來都墮落了。和你一起的人，多多少少有成績，這就是生活中的快樂。

我們作為耶穌的後人，教訓慘重，再不能上當了。耶穌太看得起人類。猶大，我指叫那些背叛的人為「由他」——由他去吧。

生活像什麼呢？像上街去買鞋，兩雙同價的鞋，智者選了好看的，愚者選了難看的。生活像什麼呢？傍晚上酒吧，智者選了美味的酒，愚者買了爛酒，還喝醉了。

所以，快樂來自智慧，又滋養了智慧。

今後到歐洲去旅行，一路看一路講，我們可以看看會發生什麼。

生活聽起來沒有奇怪，人人都在吃喝玩樂。沒有享受到的生活，算不上生活。把生理物理的變化，提升為藝術的高度，這就是生活、藝術的一元論。

生活嘛，庸俗一點，藝術，很高超——沒那麼便宜。

藝術是要有所犧牲的

「藝術是要有所犧牲的。」

一九五〇年，我二十三歲，正式投到福樓拜門下。之前，讀過他全部的小說，還不夠自稱為他的學生——被稱為老師不容易，能稱為學生也不容易啊。小說家的困難，是他的思想言論不能在小說裡表現出來的。我同福樓拜的接觸，直到讀他的書信——李健吾寫過《福樓拜評傳》，謝謝他，他引了很多資料——才切身感受到福樓拜的教育。我對老師很虔誠，不像你們對我嘻嘻哈哈。

那年，我退還了杭州教師的聘書（當時還是聘書制），上莫干山。這是在聽福樓拜的話呀，他說：

如果你以藝術決定一生，你就不能像普通人那樣生活了。

當時我在省立杭州第一高中執教，待遇相當不錯，免費住的房間很大，後門一開就是游泳池。學生愛戴我，其中的精英分子真誠熱情。初解放能得到這份位置，很好的，但這就是「常人的生活」，溫暖、安定、豐富，於我的藝術有害，我不要，換作淒清、孤獨、單調的生活。我雇人挑了書、電唱機、畫畫工具，走上莫干山。那時上山沒有公車的。

頭幾天還新鮮，後來就關起來讀書寫書。書桌上貼著字條，是福樓拜說的話：

藝術廣大已極，足以占有一個人。

長期寫下去，很多現在的觀點，都是那時形成的。

修道，長期的修道。丹青在時代廣場的畫室，就是他的修道院，天天要去修道的。

讓你的藝術教育你。

對子女的好，好在心裡，不要多講。我對朋友的好，也不講。以後你們成熟了，我要評，只要好，我就會評。評論，要評到作者自己也不知道的好，那是作者本能地在做，評價從觀念上來評。

用福樓拜這句話，意思是：我甘願為藝術占有，沒有異議。回顧這些往事，是說，藝術家一定要承當一些犧牲。你們承當過多少？你們還願意承當多少？清不清楚還要犧牲點什麼？

不值得犧牲的，那叫浪費。

宗教很明白：你要進教門，就得犧牲——吃素，不結婚，不說綺語。但宗教所要的犧牲，是殺死生命，很愚蠢。可是殺而不死，修道院弄出許多事來。

福樓拜不結婚。他對情人說：你愛我，我的構成只有幾項觀念，你愛那些觀念嗎？

藝術家的犧牲，完全自願。

當我指出這個願望，你點頭，那麼，我明打明指出：哪些事你不應該做——這事是虛榮，那事是失節——你們聽了，要受不了的。可就是這些事，使人不甘離開常人的生活。

可能你會說：「您老別含糊，儘管說，咱們能改過的改，不能改的慢慢合計。」不，我不會明說的。

古代，人不知道自己在做什麼，人類到了現代，一切錯誤，全是明知故犯。現代人的聰明，是一個個都沒有「一時糊塗」的狀態，倒是有「雖千萬人吾往矣」的犯罪勇氣。現代人中，恐怕只有白癡、神經病患者，可能質樸厚道的。正常人多數是精靈古怪，監守自盜。

這就是現代人。我們生在現代，太難歸真反璞了。

來美國十一年半，我眼睜睜看了許多人跌下去——就是不肯犧牲世俗的虛榮心，和生活的實利心。既虛榮入骨，又實利成癖，算盤打得太精：高雅、低俗兩不誤，藝術、人生雙豐收。我叫好，叫的是喝倒彩。

生活裡沒有這樣便宜。

年輕時在上海，新得了一位朋友，品貌智力都很好。某日談到上海人無聊，半點小事就引一堆路人圍觀。正說著，對面馬路霎時聚集十多人議論什麼事，那朋友急步過去看究竟，我就冷在路邊，等，這真叫孤獨，又不好意思就此走掉，呆等了好久，他才興盡而歸。現在還是這樣，我老被人扔在路邊——這條路，叫做藝術之路——我老了，實在比較好的朋友，可以等等，等他從彼岸興奮歸來。普通朋友呢，不等了，走了。罵我不講義氣，獨自溜了？這種顧慮似乎不必要。新的情況是，跑去看熱鬧的人，就此消失在熱鬧中，不回來了，所以大大減少了等的必要。

也許你要問：為什麼藝術家一定要有所犧牲呢？

這一問者，大抵不太願意犧牲，因為還沒弄清藝術是怎麼回事，怕白白犧牲——我可以徹底地說：藝術本來也只是一個夢，不過比權勢的夢、財富的夢、情欲的夢，更美一些，更持久一些，藝術，是個最好的夢。

我們有共享的心理訴求。你畫完一張得意的畫，第一個念頭就是給誰看。人一定是這樣的。權勢、財富，只有炫耀，不能共享，一共享，就對立了，一半財富權力給了你了。情欲呢，是兩個人的事，不能有第三者。比下來，藝術是可以共享的。天性優美，才華高超，可以放在政治上、商業上、愛情上，但都會失敗，失算，過氣——放在藝術上最好。

為了使你們成為藝術家，有這麼多的好處，你可以犧牲一點嗎？

既然分得清雅俗，就要嫉俗如仇，愛雅如命。我中秋節買月餅，回家就把月餅盒扔掉。這麼俗的設計，不能放在家裡。

決絕的不再來往，不要同不三不四的人廝混，聽了幾年課，這點鑒別力要有。跑過家門的松鼠，長得好看，我餵牠吃，難看，去去去。

虛榮有什麼不好？就是沒有光榮的份。兩個「榮」，你要哪一個？要克制虛榮心，算不算犧牲？你試試看。

如果你真能被藝術占有，你哪有時間心思去和別人鬼混，否則生活就不好玩了。因為你還在藝術的邊緣，甚至邊外，藝術沒有占有你，你也沒有占有藝術，所以你的生活不會很快樂，甚至很煩惱。怎麼辦呢？

好辦，再回到前面講的，人活著，時時要有死的懇切，死了，這一切又為何呢？那麼，我活著，就知道該如何了。

所以時時刻刻要有死的懇切，是指這個意思。

一九九四年，我願大家都有好的轉變。課完了，我們將要分別，即使再見面，要隔了一層了，校友見面，客客氣氣。過去這一段，今後得不到了，想來心有戚戚。

怎麼把這個氣氛延續下去？有個想法：將來成立一個文學研究會，遠話近說，先醞釀。文藝復興，從個體戶到集體戶，要有個形式。這是新年的新希望。目的，要入世，做點事——也是一種犧牲，綁出去，示眾。

後記

陳丹青

二十三年前，一九八九年元月，木心先生在紐約為我們開講世界文學史。初起的設想，一年講完，結果整整講了五年。後期某課，木心笑說：這是一場「文學的遠征」。

十八年前，一九九四年元月九日，木心講畢最後一課。那天是在我的寓所，散課後，他穿上黑大衣，戴上黑禮帽，我們送他下樓。步出客廳的一瞬，他回過頭來，定睛看了看十幾分鐘前據案講課的橡木桌。此後，直到木心逝世，他再沒出席過一次演講。

那桌子跟我回了北京，此刻我就在桌面上寫這篇後記。

另有一塊小黑板，專供木心課間書寫各國作家的名姓、生卒年、生僻字，還有各國的詩文，隨寫隨擦，五年間輾轉不同的聽課人家中。今年夏初，我照例回紐約侍奉母親，七月，母親逝世。喪事過後的一天，清理母親床邊的衣櫃——但凡至親亡故而面對滿目遺物的人，明白那是怎樣的心情——在昏暗壁角，我意外看見了那塊小小的黑板。

聽課五年，我所累積的筆記共有五本，多年來隨我幾度遷居，藏在不同寓所的書櫃裡，偶或看見，心想總要靜下心再讀一遍，倏忽近二十年過去了，竟從未複讀。唯一讀見的老友，是阿城，一九九一年，我曾借他當時寫就的三本筆錄。

木心開講後，則每次攤一冊大號筆記本，密密麻麻寫滿字，是他備課的講義。但我不記得他低頭頻頻看講義，只目灼灼看著眾人，徐緩地講，忽而笑了，說出滑稽的話來。當初宣布開課，他興匆匆地說，講義、筆記，將來都要出版。但我深知他哈姆雷特式的性格：日後幾次懇求他出版這份講義，他總輕蔑地說，那不是他的作品，不高興出。前幾年領了出版社主編去到烏鎮，重提此事，木心仍是不允。

先生的意思，我不違逆。但我確信我這份筆記自有價值：除了講課內容，木心率爾離題的大量妙語、趣談，我都忠實記錄：百分之百的精確，不敢保證，但只要木心在講話，我就記，有一回甚至記下了散課後眾人跟他在公園散步的談話。

去年歲闌，逾百位年輕讀者從各地趕來，永別木心。在烏鎮昭明書院的追思會上，大家懇請我公開這份筆錄，我當即應承了——當年講課時，木心常說將來怎樣，回國後又怎樣，那天瞧著滿屋子陌生青年的臉，戚戚然而眼巴巴，我忽然想：此刻不就是先生時時矚望的將來嗎？

今年春，諸事忙過，我從櫃子裡取出五本筆記，摞在床頭邊，深宵臨睡，一頁一頁讀下去，發呆、出神、失聲大笑，自己哭起來：我看見死去的木心躺在靈床上，又分明看見二十多年前大家圍著木心，聽他講課……我們真有過漫漫五年的紐約聚會麼？瞧著滿紙木心講的話，是我的筆記，也像是他的遺物。

電子版錄入的工作，細緻而龐大。速記潦草，年輕編輯無法辨讀，我就自己做。或在紐約寓所的廚房，或在北京東城的畫室，朝夕錄入，為期逾半年。當年手記無法測知字數，待錄畢八十五講，點擊核查，逾四十萬字。為紀念木心逝世一周年，近日忙於編校、排版、配圖、弄封面，十二月必須進廠付印了：眼前的電子版不再是那疊經年封存的筆記，而是木心讀者期待的書稿——「九泉之下」這類話，我從不相信的，而人的自欺，不過如此。喂，木心，恕我不能經你過目而首肯了，記得你當年的長篇大論嗎？年底將要變成厚厚的書。

＊

現在可以交代這場「文學遠征」的緣起和過程了。

一九八二年秋，我在紐約認識了木心，第二年即與他密集過往，劇談痛聊：文學課裡的許多意思，他那時就頻頻說起。我原本無學，直聽得不知如何是好。我不願獨享著這份奇緣，未久，便陸續帶著我所認識的藝術家，走去見木心——八十年代，紐約地面的大陸同行極有限，各人的茫然寂寞，自不待說——當然，很快，眾皆驚異，不知如何是好了。

自一九八三到一九八九年，也是木心恢復寫作、持續出書的時期。大家與他相熟後，手裡都有木心的書。逢年過節，或借個什麼由頭，我們通宵達旦聽他聊，或三五人，或七八人，窗外晨光熹微，座中有昏沉睡去的，有勉力強撐的，唯年事最高的木心，精神矍鑠。

木心在大陸時，與體制內晚生幾無來往，稍事交接後，他曾驚訝地說：「原來你們什麼都不知道啊！」這樣子，過了幾年，終於有章學林、李全武二位，糾纏木心，請他正式開課講文藝，勿使珍貴的識見虛擲了。此外，眾人另有心意：那些年木心尚未售畫，生活全賴稿費，大家是想藉了聽課而交付若干費用，或使老人約略多點收益。「這樣子算什麼呢？」木心在電話裡對我說，但他終於同意，並認真準備起來。

勸請最力而全程操辦的熱心人，是李全武。他和木心長期協調講課事項，轉達師生間的種種信息，改期、復課、每課轉往誰家，悉數由他逐一通知，持續聽課或臨時聽課者的交費，也是他負責收取，轉至木心，五年間，我們都稱他「校長」。

事情的詳細，不很記得了。總之，一九八九年元月十五日，眾人假四川畫家高小華家聚會，算是課程的啟動。那天滿室譁然，很久才靜下來。木心，淺色西裝，笑盈盈坐在靠牆的沙發，那年他六十二歲，鬢髮尚未斑白，顯得很年輕——講課的方式商定如下：地點，每位聽課人輪流提供自家客廳；時間，寒暑期各人忙，春秋上課；課時，每次講四小時，每課間隔兩週，若因事告假者達三五人，即延後、改期，一二人缺席，照常上課。

開課後，漸漸發現或一專題，一下午講不完。單是《聖經》就去兩個月，共講四課。上古中古文學史講畢，已逾一年，愈近現代，則內容愈多。原計畫講到十九世紀收束，應我們叫喚，木心遂添講二十世紀流派紛繁的文學，其中，僅存在主義便講了五課。

那些年，眾生多少是在異國謀飯的生熟尷尬中，不免分身於雜事，課程改期，不在少數，既經延宕，則跨寒暑而就春秋，忽忽經年，此即「文學遠征」至於跋涉五年之久的緣故吧。到了最後一兩年，這奇怪的小團體已然彼此混得太熟，每次相聚有如小小的派對，不免多了課外的閒聊，我的所記，則仍是木心的講課。

*

以下追蹤記憶，由年齡順序排列，大致是全程到課、長期聽課的學員名單：

金高（油畫家）、王濟達（雕塑家），五十年代中央美院畢業，一九八三年來美。

章學林（版畫家），六十年代浙江美院畢業，一九八〇年來美。

薄茵萍、丁雅容，來自臺灣的女畫家，一九七七年來美。

陳丹青、黃素寧（國畫家），一九八〇年中央美院畢業，一九八二年來美。

曹立偉（油畫家）、李菁，一九八二年中央美院畢業，一九八六年來美。

李全武（油畫家），一九八四年中央美院畢業，一九八五年來美。

殷梅（舞者、編舞家），來美年份不詳。

黃秋虹，廣東女畫家，一九八〇年來美。

陳捷明，廣東畫家，一九八〇年來美。

李和，不詳。

其中，殷梅由全武介紹而來，黃秋虹、陳捷明，由別人介紹木心認識。五年間，因呼朋喚友而聽過幾課、不復再來，或中後期聽說而加入的人，也頗不少。我所熟悉的是上海畫家李斌，南京畫家劉丹、錢大經、薛建新，北京人薛蠻子、胡小平夫婦。兩位木心的舊識：上海畫家夏葆元（「文革」前與木心同一單位）、上海留學生胡澄華（其父是木心的老友），也來聽過課，久暫不一。人數最多的一次是講唐詩，也在我的寓所，來三十多人，椅子不夠，不記得終於是怎樣安排落座的。

這是一份奇怪的組合：聽課人幾乎全是畫家，沒有跡象表明有誰聽過文學史，或職志於文學，課中說及的各國作家與作品，十之六七，我們都不知道——木心完全不在乎這些。他與人初識接談，從不問起學歷和身分。奇怪，對著這些不相干的臉，他只顧興味油然地講，其狀貌，活像談論什麼好吃透頂的菜肴。我猜他不會天真到以為眾生的程度與之相當，但他似乎相信每個人果然像他一樣，摯愛文學。

木心講課沒有腔調——不像是講課，渾如聊天，而他的聊天，清晰平正，有如講課——他語速平緩，從不高聲說話，說及要緊的意思，字字用了略微加重的語氣，如宣讀早經寫就的文句。錄入筆記的這半年，本能地，我在紙頁間聽到他低啞蒼老的嗓音。不止十次，我記得，他在某句話戛然停頓，凝著老人的表情，好幾秒鐘，呆呆看著我們。

這時，我知道，他動了感情，竭力克制著，等自己平息。

講課與聊天究竟不同。自上世紀五十年代木心在上海高橋做過幾年中學老師，此後數十年再沒教過書——起初幾堂課，談希臘羅馬、談《詩經》，他可能有點生疏而過於鄭重了，時或在讀解故事或長句中結巴、絆住，後來他說，頭幾課講完，透不過氣來——兩三課後，他恢復了平素聊天的閒適而鬆動，愈講到後來，愈是收放自如。

我的筆記，初起也頗倉促，總要三四課後這才找回畫速寫的快捷，同其時，與木心的講述，兩皆順暢了——好在木心說話向來要言不煩，再大的公案、史說、是非、糾葛，由他說來，三言兩語，驚人地簡單。

而筆錄之際最令我感到興味的瞬間，是他臨場的戲談。

木心的異能，即在隨時離題：他說卡夫卡苦命、肺癆、愛焚稿，該把林黛玉介紹給卡夫卡；他說西蒙種葡萄養寫作，昔年陶潛要是不就菊花而改種葡萄，那該多好！在木心那裡，切題、切題、再切題，便是這些如敘家常的離題話。待我們聞聲哄笑，他得意了，假裝無所謂的樣子——且慢，他在哄笑中又起念頭，果然，再來一句，又來一句——隨即收回目光，接著往下說。

如今座談流行的錄音、攝像，那時既沒有器具，木心也不讓做。他以為講課便是講課。五年期間，我們沒有一張課堂的照片，也無法留存一份錄音。

「結業」派對，是「李校長」安排在女鋼琴家孫韻寓所。應木心所囑，我們穿了正裝，分別與他合影。孫韻母女聯袂彈奏了莫札特第二十三號鋼琴協奏曲。阿城特意從洛杉磯自費趕來，扛了專業的機器，全程錄像。席間，眾人先後感言，說些什麼，此刻全忘了，只記得黃秋虹才剛開口，淚流滿面。

木心，如五年前宣布開課時那樣，矜矜淺笑，像個遠房老親戚，安靜地坐著，那年他六十七歲了。就我所知，那也是他與全體聽課生最後一次聚會。他的發言的開頭，引梵樂希的詩。每當他借述西人的文句，我總覺得是他自己所寫，脫口而出：

你終於閃耀著了麼？我旅途的終點。

*

八、九十年代之交，國中大學的文學史課程，早經恢復。文學專業的碩博士，不知用的什麼講義，怎樣地講，由誰講——我們當年這樣地胡鬧一場，回想起來，近於荒謬的境界：沒有註冊，沒有教室，沒有課本，沒有考試與證書，更沒有贊助與課題費，不過是在紐約市皇后區、曼哈頓區、布魯克林區的不同寓所中，團團坐攏來，聽木心神聊。

木心也從未修過文學課。講畢唐詩一節，他送當時在座每位學員一首七絕，將各人的名字嵌入末句，這次錄入，我注意到他也給自己寫了一首：

東來紫氣已遲遲，群公有師我無師。
一夕絳帳風飄去，木鐸含心終不知。

木心所參考的鄭振鐸《文學大綱》，最早出版於上世紀二十年代，想必是少年木心的啟蒙讀物之一。前年得到這兩冊大書的新版，全書體例與部分資料，大致為木心所借取，我翻了幾頁，讀不下去。「可憐啊，你們讀書太少。」暮年木心又一次喃喃對我說。那時他已耳背，我大叫：「都聽你講過了呀！」他一愣，怔怔地看我。

聽課五年，固然免除了我的蒙昧，但我從此愚妄而惰怠。說來造孽：木心所標舉的偉大作品：古希臘，《聖經》，先秦諸子，莎士比亞，尼采，拜倫，紀德……二十多年過去，我一行也不曾拜讀。年來字字錄入這份筆記，我不再將之看做「世界文學史」，誠如木心所說，這是他自己的「文學回憶錄」，是一部「荒誕小說」。眼下全書付印在即，想了很久，以我難以挽回的荒率，無能給予評價。實在說，這是我能評價的書嗎？

如今我也接近木心開課時的歲數，當年愚昧，尚於講課中的若干信息，惘然不察，現在或可寫出來，就教於方家，也提醒年輕的讀者——

上世紀三十年代末，抗戰初期，十三、四歲的木心躲在烏鎮，幾乎讀遍當時所能到手的書，其中，不但有希臘羅馬的史詩、神話，近代以來的歐陸經典，還包括印度、波斯、阿拉伯、日本的文學。鄭本《文學大綱》所列舉的龐大作者群，當年不可能全有漢譯本，木心也不可能全都讀過，他誠實地說，哪位只是聽說，哪本沒有讀過，但他多次感慨：「那時的翻譯家做了好多事情哩。」最近承深圳的南兆旭、高小龍二位提供數百冊私藏民國舊書，供我選擇配圖，雖難測知其中哪些曾是木心昔年的讀本，但他的閱讀記憶，正是一部民國出版史的私人旁證。

講述《聖經》時，木心念及早歲與他頻繁通信的十五歲湖州女孩，使我們知道早在四十年代的浙江小城，竟有如此真摯而程度甚深的少年信徒，小小年紀，彼此辯說新舊約的文學性。提到《易經》，他說夏夜乘涼時教他背誦《易經》口訣的人，是她母親，抗戰逃難中，這位母親還曾給兒子講述杜甫的詩，這在今日的鄉鎮，豈可思議。他憶及家中僕傭對《七俠五義》之類的熱中，尤令我神旺，他的叔兄長輩居然日日去聽說書，此也勾連了我的幼年記憶：五、六十年代，滬上弄堂間尚且隱著簡陋的說書場所……這一切，今已蕩然無存，而木心的記憶，正是一份民國青年的閱讀史。

這份閱讀史，在世界範圍也翻了過去。木心的生與長，適在同期步入印刷時代與新文化運動的民國，他這代人對文學的熱忱與虔敬，相當十五至十九世紀的歐洲人，電子傳媒時代的芸芸晚生，恐怕不易理解這樣一種文學閱讀的赤子之情了。

以上，是木心生涯的上半時，下半時呢？

自一九四九年到「文革」結束，近三十年，歐美文學的譯介幾乎中止，其間，值木心盛年，惟以早歲的閱讀與文學相濡以沫（他因此對五十年代專事俄羅斯文學的推介，甚表好意）。講課中一再提及的音樂家李夢熊先生，也是此等活寶：他倆聽說喬伊斯與卡夫卡，但「文革」前夕的大陸，哪裡讀得到。而早在

三、四十年代，他們就知悉歐洲出現意識流、意象主義、存在主義等等新潮，之後，對鐵幕外的文學景觀該是怎樣的渴念。浩劫後期，戰後文學如「黑色幽默」與「垮掉的一代」，曾有內部譯本（如《第二十二條軍規》），他們當然不會放過，總之，就我所知，五、六十年代，各都市，尤其京滬，尚有完全在學院與作協系統之外，嗜書如命、精賞文學的書生。而木心出國前大量私下寫作的自我想像、自我期許，竟是遙不可及的西方現代主義。

「文革」初，木心早期作品被抄沒。「文革」後，大陸的地下文學與先鋒詩，陸續見光，漸漸組入共和國文學史話。現在，這本書揭示了更為隱蔽的角落：整整六十多年目所能及的文學檔案中——不論官方還是在野——仍有逍遙漏網的人。

漫長，徹底，與世隔絕，大陸時期的木心沒有任何舉動試圖見光。到紐約後，帶著不知饜足的文學的貪婪，他在恢復寫作的同時，靠臺灣版譯本找回被阻隔的現代文學圖景，與他早年的閱讀相銜接。久居紐約的港臺文人對他與世界文學的不隔，咸表驚異，他們無法想像木心與李夢熊在封鎖年代的文學苦談——「出來了，我才真正成熟」，木心如是說——私下，我完全不是可以和他對話的人，他幾次歎息，說，你們的學問談吐哪裡及得上當年李夢熊。但木心要說話，要以他所能把握的文學世界，印證自己的成熟，不得已，乃將我們這群人權且當做可以聆聽的學生。

多少民國書籍與讀者，湮滅了。木心的一生，密集伴隨愈演愈烈的文化斷層。他不肯斷，而居然不曾斷，這就是本書潛藏的背景：在累累斷層之間、之外、之後，木心始終將自己盡可能置於世界性的文學景觀，倘若不是出走，這頑強而持久的掙扎，幾幾乎瀕於徒勞。

*

一個在八十年代出道的文學家，能否設想木心的歷程？一個研修文史專科的學者，又會如何看待這份文本？木心不肯放過文學，劫難也不曾放過他，但我不知道他怎樣實踐了尼采的那句話：

在自己的身上，克服這個時代。

固然，尼采另有所指，尼采也不可能知道這句話在二十世紀的中國語境——在這大語境中，木心怎樣營造並守護他個人的語境？去年秋，木心昏迷的前兩個月，貝聿銘的弟子去到烏鎮，與他商議如何設計他的美術館。木心笑說：

> 貝先生一生的各個階段，都是對的；我一生的各個階段，全是錯的。

這不是反諷，而是實話，因為實話，有甚於反諷——講課中，他說及這樣的細節：五十年代末，國慶十周年夜，他躲在家偷學意識流寫作（時年三十二歲）；六十年代「文革」前夕，他與李夢熊徹夜談論葉慈、艾略特、史賓格勒、普魯斯特、阿赫瑪托娃；七十年代他被單獨囚禁時，偷偷書寫文學手稿，我親眼看過，驚怵不已：正反面全都寫滿，字跡小如米粒；八十年代末，木心年逾花甲，生存焦慮遠甚於流落異國的壯年人，可他講了五年文學課——我們交付的那點可憐的學費啊——九十年代，他承諾了自己青年時代的妄想，滿心狂喜，寫成《詩經演》（編按：即《會吾中》，一九九八年五月出版。後改稱《詩經演》。）三百多首；新世紀，每回走去看他，他總引我到小陽臺桌邊，給我看那些毫無用處的新寫的詩。

在與筆記再度相處的半年，我時時湧起當初即曾抱有的羞慚和驚異，不，不只於此，是一種令我畏懼到至於輕微厭煩的心情：這個死不悔改的人。他摯愛文學到了罪孽的地步，一如他罪孽般與世隔絕。這本書，佈滿他始終不渝的名姓，而他如數家珍的文學聖家族，完全不知道怎樣持久地影響了這個人。

中國文學史、西洋文學史，魏晉或唐宋文學、伊麗莎白或路易王朝文學，各有專家。其他國家所修的世界文學史又是怎樣講法呢？當年鄭振鐸編撰《文學大綱》，想必也多所參照了外國的寫本。迄今，我沒有讀過一本文學史，除了聽木心閒聊。若非年輕讀者的懇求，這五冊筆記不知幾時才會翻出來；其實，每次瞧見這疊本子，我都會想：總有一天，我要讓許多人讀到。

或曰：這份筆記是否準確記錄了木心的講說？悉聽尊便。或曰：木心的史說是否有錯？我願高聲說：我不知道，我不在乎！或曰：木心的觀點是否獨斷而狂妄？嗚呼！這就是我保有這份筆錄的無上驕傲——我分明看著他說，他愛先秦典籍，只為諸子的文學才華；他以為今日所有偽君子身上，仍然活著孔丘；他想對他愛敬的尼采說：從哲學跑出來吧；他激賞拜倫、雪萊、海涅，卻說他們其實不太會作詩；他說托爾斯泰可惜「頭腦不行」，但講到托翁墳頭不設十字架，不設墓碑，忽而語音低弱了，顫聲說：「偉大！」而談及沙特的葬禮，木心臉色一正，引尼采的話：唯有戲子才能喚起群眾巨大的興奮。

我真想知道，有誰，這樣地，評說文學家。我因此很想知道，其他國家，誰曾如此這般，講過文學史——我多麼盼望各國文學家都來聽聽木心如何說起他們。他們不知道，這個人，不斷不斷與他們對話、商量、發出詰問、處處辯難，又一再一再，讚美他們，以一個中國老人的狡黠而體恤，洞悉他們的隱衷，或者，說他們的壞話。真的，這本書，不是世界文學史，而是，那麼多那麼多文學家，漸次圍攏，照亮了那個照亮他們的人。

*

講課完結後，一九九四年早春，木心回到遠別十二年的大陸，前後四十天，期間，獨自潛回烏鎮，那年他離開故鄉將近五十年了。回紐約後，又兩年，他搬離距我家較近的寓所，由黃秋虹安排遷往皇后區一處寬敞的公寓，在那裡住了十年。到了七十九歲那年，二〇〇六年九月，我陪他回國，扶他坐上機場的輪椅，走向海關。黃秋虹，泣不成聲，和年逾花甲的章學林跟在後面：自我二〇〇〇年回國後，就剩他倆就近照看木心。

同年春，聽課生中年齡最大的金高女士，逝世了。其他學員早經星散，很少聯絡了。之後，每年春秋我回紐約侍母，走在街上，念及木心經已歸國。去年木心死，我瞧著當年眾人出沒的街區，心情有異——今夏侍奉母親，黃昏散步，我曾幾次走到木心舊寓前，站一站。門前的那棵樹，今已亭亭如蓋，通往門首的小階梯磚垛，放滿陌生租客的盆栽。這寓所的完整地址是：

25-24A, 82 Street Jackson Heights, NY 11372.

（中譯：紐約市，杰克遜高地，八十二街，郵編一一三七二）

木心講課時，還給眾生留下這裡的電話：七一八—五二六—一三五七。

如今不能上前叩門了。木心在時，書桌周圍滿是花草，臥室的小小書櫃旁豎一枚樂譜架，架上攤著舊版的蘇東坡字帖——在我見過的文人中，木心存書最少最少——自一九九〇到一九九六年，文學課講義、蓄謀已久的《詩經演》，都在這裡寫成。凡添寫幾首詩經體新作，他會約我去北方大道南側一張長椅上見面，攤開我根本看不懂的詩稿，風寒街闊，喜孜孜問我：味道如何？

講課中，他兩次提到與他相熟的街頭松鼠，還有寓所北牆密匝匝的爬牆虎：「它們沒有眼睛哎！爬過去，爬過去！」每與我說起，木心嘖嘖稱奇。忽一日，房主未經告知，全部拔去了，他如臨大事，走來找我，狠狠瞪大眼睛：

「那是強暴啊！丹青，我當天就想搬走！」

木心絕少訴說自己的生活。五年講課間，難得地，他說出早歲直到晚年的零星經歷，包括押送與囚禁的片刻。他說，和朋友講課，可以說說「私房話」。本書編排時，我特意在每講之前排幾行摘錄，並非意在所謂「關鍵詞」，而多取木心談及自己的略略數語，俾使讀者走近他（編按：繁體版的摘錄另擇引述）：經已出版的木心著作，刻意隱退作者，我相信，這本書呈現了另一個木心。

有次上課，大家等著木心，太陽好極了。他進門就說，一路走來，覺得什麼都可原諒，但不知原諒什麼。那天回家後，他寫成下面這首「原諒」詩，題曰〈杰克遜高地〉：

五月將盡
連日強光普照
一路一路樹蔭
呆滯到傍晚
紅胸鳥在電線上囀鳴
天色舒齊地暗下來
那是慢慢地，很慢
綠葉藂間的白屋
夕陽射亮玻璃
草坪濕透，還在灑
藍紫鳶尾花一味夢幻
都相約暗下，暗下
清晰 和藹 委婉
不知原諒什麼
誠覺世事盡可原諒

選這首詩，因為木心、金高、全武、立偉、我，均曾是杰克遜高地的居民，當年輾轉各家的上課地點，多半散在那片區域：二十年前，木心這樣地走著，看著，「一路一路樹蔭」，其時正在前來講課的途中；下課了，他走回家，「天色舒齊地暗下來」。木心的所有詩文，隻字不提這件事，紐約市、杰克遜高地，也從不知道一小群中國人曾在這裡聽講世界文學課。如今木心死了，母親死了，金高死了，此後我不會每年去到那裡——「不知原諒什麼，誠覺世事盡可原諒」。現在，惟願先生原諒我擅自公開了聽課筆記，做成這本大書。

二〇一二年十一月十日寫在北京

一九九一～一九九六年，木心舊寓。右側的牆面，當年全是爬牆虎。

附錄

出版說明

廣西師範大學出版社

一九八九年至一九九四年，木心先生在紐約為一群中國藝術家講述「世界文學史」，為期五年，留有完整的講義。二〇〇六年先生歸國後，本社曾擬出版這份講義，未獲先生同意，理由是，那不是他的創作。二〇一一年，木心先生逝世。逾百位年輕讀者從各地趕來烏鎮送別，並在追思會上熱切提出希望讀到這份文學史講稿。為尊重木心先生，本社決定依據陳丹青先生的第一手文本——五本聽課筆記——編成此書，以饗讀者。

茲就有關事項說明如下：

一，木心先生當年講述的資料和體例，大致依據上世紀二十年代鄭振鐸編著的《文學大綱》，二十世紀初葉到七十年代的文學講述，則另有參考。

二，五年期間，陳丹青先生記錄了木心先生幾乎全部講述內容，共八十五講。為盡可能呈現筆錄原狀，每一課的講題、年份、日期、缺課、失記，均予保留。特別需要說明的是：每課講題，木心先生部分沿用鄭本，部分自設，陳丹青先生筆錄時，又有若干差異，為協調這些差異，本社在編排目錄與講題時，分別做了少數必要的調整。

三，本書書名，依據木心〈開課引言〉中所願，定為《文學回憶錄》。

四，筆錄書中涉及的大量文學家、哲學家、藝術家，不少是民國時代或五、六十年代譯名，現根據當今通行譯名，規範統一。凡重要作家與作品，加注相對完備的信息。

五，考慮到現場筆錄難以避免的疏失錯漏，書中所有作品引文，凡中國文學經典，均依據相應通行版本作了核對，翻譯類文學經典段落，原則上，保留筆錄原樣。

六，由於本書篇幅龐大，所涉繁雜，雖經校對，不免仍有錯失之處，竭誠期待讀者與專家不吝指正。

七，書中附印的木心先生及其親屬的照片，由陳丹青先生和木心的外甥王韋先生提供。民國版本的世界文學書影，由南兆旭先生、高小龍先生提供。本社謹表謝意。

二〇一二年十二月

木心作品集——17

1989-1994文學回憶錄：
二十世紀之卷

講　　述　木　心
筆　　錄　陳丹青
總 編 輯　初安民
特約編輯　敏　麗
美術編輯　林麗華

發 行 人　張書銘
出　　版　INK印刻文學生活雜誌出版股份有限公司
新北市中和區建一路249號8樓
電話：02-22281626
傳真：02-22281598
e-mail：ink.book@msa.hinet.net
網　　址　舒讀網http：//www.inksudu.com.tw

法律顧問　巨鼎博達法律事務所
施竣中律師
總 代 理　成陽出版股份有限公司
電　　話　03-3589000（代表號）
傳　　真　03-3556521
郵政劃撥　19785090　印刻文學生活雜誌出版股份有限公司
印　　刷　海王印刷事業股份有限公司

港澳總經銷　泛華發行代理有限公司
地　　址　香港新界將軍澳工業邨駿昌街7號2樓
電　　話　(852) 2798 2220
傳　　真　(852) 2796 5471
網　　址　www.gccd.com.hk

出版日期　2013年10月　初版
2023年9月8日　初版四刷
定　　價　490元
1550元（套書）
ISBN　978-986-5823-38-2 (平裝)
978-986-5823-39-9 (套書)

國家圖書館出版品預行編目資料

1989-1994文學回憶錄：
二十世紀之卷／木心 著；
--初版, --新北市中和區：INK印刻文學,
2013. 10　面；　公分.
ISBN　978-986-5823-38-2 (平裝)
978-986-5823-39-9 (套書)
1.世界文學 2.文學史
810.9　　102018260